Micaela Solinas

Los vertebrados

EDITEX

HIPERLIBROS
DE LA CIENCIA

Una enciclopedia
dirigida por Giovanni Carrada

VOLUMEN 12
LOS VERTEBRADOS

Texto: *Micaela Solinas*
Ilustraciones: *Studio Inklink*
Diseño gráfico: *Sebastiano Ranchetti*
Dirección artística y coordinación: *Laura Ottina*
Maquetación: *Laura Ottina y Katherine Forden*
Búsqueda iconográfica: *Katherine Forden*
Redacción: *Andrea Bachini, Francesco Milo*
Fotomecánica: *Venanzoni D.T.P.* - Florencia
Impresión: *Conti Tipocolor* - Calenzano, Florencia
Traducción: *Cálamo & Cran*

Para la edición en España y países de lengua española:
© **Editorial Editex, S. A.**
Avda. Marconi, nave 17. 28021 - Madrid
I.S.B.N. colección completa: 84-7131-920-9
I.S.B.N. volumen 12: 84-7131-932-2
Número de Código Editex colección completa: 9209
Número de Código Editex volumen 12: 9322
Impreso en Italia - Printed in Italy

DoGi

Una producción DoGi, spa, Florencia

SUMARIO

CÓMO SE USA UN HIPERLIBRO

Un Hiperlibro de la ciencia se puede leer como se leen todos los libros, es decir, desde la primera a la última página. O también como una enciclopedia, yendo a buscar sólo el argumento que nos interesa.

Pero lo mejor es leerlo precisamente como un *Hiperlibro*. ¿Qué quiere decir esto?

La imagen al lado del título representa el contenido de cada epígrafe y es siempre la misma en todos los volúmenes.

La flecha grande que entra en la página desde la izquierda señala que el contenido está relacionado con el de la página precedente.

Las imágenes dentro de la flecha hacen referencia a los epígrafes anteriores a los que puedes recurrir para ampliar conocimientos sobre el que estás leyendo.

Bajo cada imagen se indican el número del volumen y la página a consultar.

LOS REPTILES

Los reptiles fueron los primeros vertebrados que abandona el agua para adaptarse a la vida en tierra firme. Algunos re saron a ella dando origen a los grandes reptiles marinos, lo tiosaurios, mientras que otros, los pterosaurios, conquista el hábitat aéreo. También eran reptiles los dinosaurios que minaron la Tierra hace entre 230 y 65 millones de años. La quista del ambiente terrestre ha supuesto un paso crucial el que han sido necesarias una serie de adaptaciones con las resolver los «problemas» que plantea la vida fuera del agua primero de todos la deshidratación. Para evitar que el emb se seque y no sufra golpes, los reptiles han «inventado» un c plejo huevo, formado por una cáscara externa y una seri ingeniosas membranas, el amnios, el corion y el alantoide El embrión se encuentra suspendido dentro de la cavidad mada por el amnios, que está llena de un líquido seroso y, tanto, imita el ambiente acuático. Corion y alantoides par pan en la respiración y una cavidad especial formada por el a toides recoge los productos de desecho. El saco vitelino, ll de sustancias nutritivas, completa el conjunto haciendo

El árbol genealógico de los vertebrados pág. 8

En la ciencia, cada argumento está ligado a muchos otros, tal vez pertenecientes a sectores completamente diferentes pero todos importantes para comprenderlo mejor. Encontrarlos no es un problema gracias a Hiperlibros. El que quiera conocer un argumento, leerá las páginas que se refieren al mismo y, desde ahí, partirá a explorar todas las conexiones, simplemente «siguiendo las flechas».

Por lo tanto, se puede abrir un Hiperlibro en cualquier página y, a partir de esta, navegar en el mundo de la ciencia dejándose guiar por las remisiones ilustradas, siguiendo nuestras búsquedas o la curiosidad del momento.

Cascarón
Saco vitelino
Embrión
Cavidad amniótica
Cavidad del alantoides
Amnios
Corion

Cada una de las membranas del interior de los huevos de los reptiles cumple su función para que el embrión se desarrolle con éxito, independientemente del ambiente circundante.

huevo una unidad autosuficiente durante todo el tiempo que dura el desarrollo del embrión. Una vez que han salido del huevo, los reptiles se protegen de una excesiva pérdida de agua gracias a su piel, que es muy densa, está recubierta de escamas córneas, y ha perdido las glándulas indispensables para la respiración cutánea. La respiración es posible porque los pulmones han asumido un papel predominante. A pesar de estas y otras adaptaciones, como la presencia de uñas y de un órgano reproductor para transferir directamente el esperma en las vías genitales de la hembra, los reptiles, al igual que los anfibios, están limitados debido a la imposibilidad de regular su temperatura corporal. Esto les hace depender de la temperatura externa y no son capaces de mantener largos períodos de actividad.

El comportamiento animal vol. 13

La flecha grande que sale de la página desde la derecha indica que el argumento de la página está ligado estrechamente a los de las páginas sucesivas, las cuales lo completan o lo desarrollan, o que continúan la evolución del volumen.

Las imágenes en el interior de la flecha indican las remisiones a los argumentos que pueden leerse después del de la página, para profundizar en él o explorar sus consecuencias.

La posición paralela a los rayos solares disminuye la cantidad de piel expuesta al Sol, mientras que el exceso de calor se dispersa a la altura del vientre.

Al igual que el resto de los reptiles, la iguana marina de las Galápagos utiliza una serie de mecanismos fisiológicos y de comportamientos para regular su temperatura corporal.

Los camaleones (a la izquierda), conocidos sobre todo por la capacidad de cambiar rápidamente de color, son reptiles muy especializados, con un cuerpo comprimido lateralmente, dedos aptos para aferrar y adaptados, como la cola prensil, a la vida arbórea.

El origen de los reptiles vol. 16 - pág. 46

El rico y puntual conjunto iconográfico y las leyendas completan y ejemplifican el desarrollo del argumento.

31

EL ÁRBOL GENEALÓGICO DE LOS VERTEBRADOS

La evolución biológica vol. 9 - pág. 54

Los invertebrados vol. 11

El antepasado más antiguo de los vertebrados descubierto hasta ahora es un extraño organismo de 5 centímetros de largo, en forma de cinta, al que los paleontólogos han bautizado con el nombre de *Pikaia*. Vivió en los océanos hace 530 millones de años y poseía sobre el dorso un cordón de células rodeado de pequeños músculos, los primeros indicios de lo que posteriormente serán las características de este gran grupo de animales: la columna vertebral y el esqueleto de sostén interno, en el que se insertan los músculos que, en este caso, son externos. Estas características les han permitido alcanzar dimensiones imposibles para los invertebrados, hasta el punto de que hoy en día los animales que superan el medio metro en el ambiente terrestre y el metro en el acuático son casi exclusivamente vertebrados. Los primeros peces semejantes a los que actualmente conocemos aparecieron hace alrededor de 440 millones de años. Primero se desarrollaron los dotados de esqueleto cartilaginoso, como los tiburones y las rayas, y, posteriormente, los peces propiamente dichos, con esqueleto óseo, que completaron la «invasión» de los mares hace unos 360 millones de años. Casi contemporáneamente algunos de ellos comenzaron a

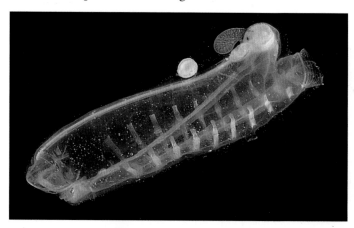

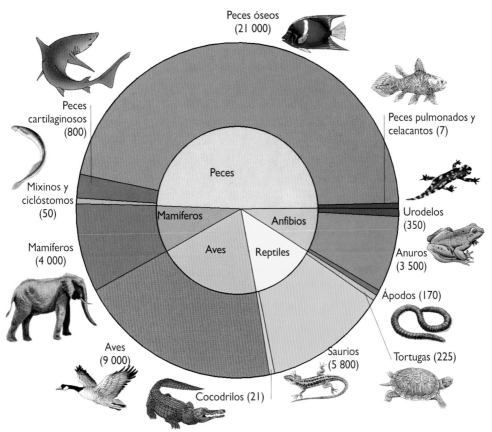

Peces óseos
(21 000)

Peces
cartilaginosos
(800)

Peces pulmonados y
celacantos (7)

Mixinos y
ciclóstomos
(50)

Peces

Mamíferos

Anfibios

Urodelos
(350)

Mamíferos
(4 000)

Aves

Reptiles

Anuros
(3 500)

Ápodos (170)

Aves
(9 000)

Saurios
(5 800)

Tortugas (225)

Cocodrilos (21)

aventurarse fuera del agua: se trataba de los primeros anfibios, un grupo de animales todavía muy ligado al agua, sobre todo para la reproducción. Pero para colonizar la tierra había que liberarse de una dependencia demasiado estrecha con el agua. Lo consiguieron los reptiles, que hace unos 300 millones de años «inventaron» el huevo para proteger a los embriones de la deshidratación. El dominio de los reptiles duró casi 240 millones de años. Precisamente a partir de algunos de ellos, los dinosaurios, se desarrolló, hace 150 millones de años, otro gran grupo de vertebrados que conquistó el espacio aéreo: las aves. La extinción de los dinosaurios, hace 65 millones de años, abrió finalmente el camino a un pequeño grupo de animales de sangre caliente y cubiertos de piel, que desde entonces se diversificaron en un gran número de especies, una de las cuales fue el *Homo sapiens*, a la que pertenecemos.

Los científicos han descrito cerca de 45 000 especies de vertebrados, la mitad de los cuales, tal y como muestra el diagrama (arriba), son peces.

Los tunicados (a la izquierda) son pequeños animales marinos cuyas larvas poseen una cuerda dorsal, una característica típica de los vertebrados, que pierden cuando se convierten en adultos.

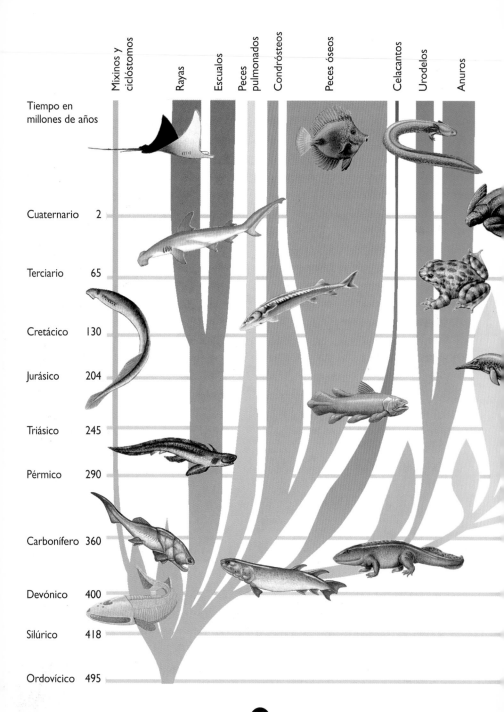

Mixinos y ciclóstomos

Rayas

Escualos

Peces pulmonados

Condrósteos

Peces óseos

Celacantos

Urodelos

Anuros

Tiempo en millones de años

Cuaternario	2
Terciario	65
Cretácico	130
Jurásico	204
Triásico	245
Pérmico	290
Carbonífero	360
Devónico	400
Silúrico	418
Ordovícico	495

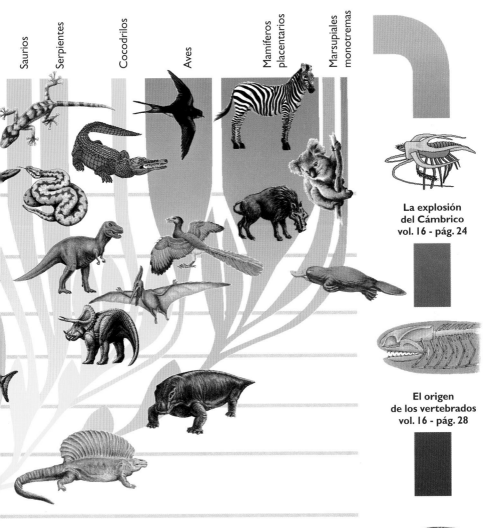

Saurios

Serpientes

Cocodrilos

Aves

Mamíferos
placentarios

Marsupiales
monotremas

La explosión
del Cámbrico
vol. 16 - pág. 24

El origen
de los vertebrados
vol. 16 - pág. 28

Los primeros
vertebrados terrestres
vol. 16 - pág. 40

Los primeros vertebrados conocidos, los peces ostracodermos, tenían un esqueleto sin osificar y carecían de mandíbulas. Debido a presiones evolutivas, estas formas arcaicas dieron origen a las formas de vertebrados que han colonizado los distintos ambientes del planeta, incluido el aéreo.

En este árbol genealógico, las ramas representan las diferentes líneas evolutivas. Cuanto más distantes se encuentran las ramas, mayor es la distancia entre los grupos.

LOS ESCUALOS

Hace 350 millones de años (100 millones antes de la aparición del primer dinosaurio) los escualos, que sembraban el terror entre los primeros peces, no se diferenciaban mucho de los actuales. Y es que sólo una obra de ingeniería de la naturaleza podría haber sobrevivido casi inmutable durante todo este tiempo. Veloces nadadores, los escualos tienen un cuerpo hidrodinámico y una potente musculatura que se fija a un esqueleto que no está hecho de tejido óseo, sino de cartílago, de ahí que se les llame «peces cartilaginosos». El movimiento lo proporciona fundamentalmente la mitad posterior del cuerpo y la larga cola. Viven sobre todo en los océanos, aunque algunas especies frecuentan también las aguas las dulces. Al contrario de los verdaderos peces, es decir, de los peces óseos, los escualos tienen que nadar continuamente. Puesto que son más pesados que el agua de mar y carecen de vejiga natatoria, tienen, por así decirlo, que «volar» sobre las aletas pectorales para no caer hacia el fondo. Por otra parte, sus branquias no son sino simples hendiduras y si permanecen quietos, el agua deja de renovarse y mueren por falta de oxígeno. Sin embargo, algunas especies logran pararse en el fondo y dormir durante la noche. Su sentido más desarrollado es el olfato: consiguen percibir la más mínima señal de sangre a medio kilómetro de distancia. Casi todos los escualos son depredadores y sus predadores son, en la mayoría de los casos, otros escualos. Las 380 especies conocidas comprenden escualos que van desde los 15 centímetros, como

El árbol genealógico de los vertebrados pág. 8

El necton vol. 15 - pág. 36

Los escualos, como esta pareja de cazones, son animales de fecundación interna.

Los escualos poseen más de una fila de terribles dientes: a medida que se consumen, la fila sucesiva ocupa el puesto de los anteriores. Los del gran tiburón blanco, de casi 8 centímetros de largo, pueden partir un león marino de un sólo golpe.

el escualo de las Filipinas, a los 18 metros del tiburón ballena, que, sin embargo, se nutre exclusivamente de plancton. Aunque se considera que un escualo es peligroso cuando supera los dos metros y medio de largo, sólo se sabe de veintisiete especies que han atacado al ser humano por lo menos una vez, y apenas tres son responsables de ataques mortales: el gran tiburón blanco, el tiburón tigre y el tiburón gris.

El desarrollo de un embrión de tiburón dura entre 6 y 10 meses. Al final de este período se libera de la envoltura que lo ha protegido hasta entonces y comienza su vida libre.

La mayor parte de los escualos produce grandes envolturas para que los huevos sean capaces de fijarse en las algas o en las gorgonias de los fondos. Dentro se desarrolla el embrión (a la izquierda). Otros, en cambio, son ovovivíparos: los embriones crecen dentro del cuerpo materno hasta que son capaces de vivir de manera independiente.

No todos lo escualos tienen el típico aspecto fusiforme. El tiburón martillo, por ejemplo, uno de los escualos con el olfato más desarrollado, posee unas expansiones en la cabeza en cuyos extremos se encuentran los ojos y las fosas nasales.

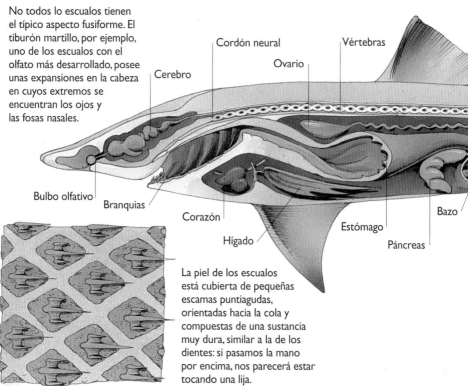

Cerebro

Cordón neural

Ovario

Vértebras

Bulbo olfativo

Branquias

Corazón

Hígado

Estómago

Páncreas

Bazo

La piel de los escualos está cubierta de pequeñas escamas puntiagudas, orientadas hacia la cola y compuestas de una sustancia muy dura, similar a la de los dientes: si pasamos la mano por encima, nos parecerá estar tocando una lija.

El comportamiento
animal
vol. 13

El tiburón ballena es
el escualo más grande que
existe hoy en día.
Con las ballenas, además del
tamaño, comparten los hábitos
alimentarios: de hecho, se
nutren del plancton que tragan
con su enorme boca.

Riñones

Cloaca

Recto

Válvula espiral

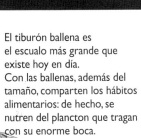

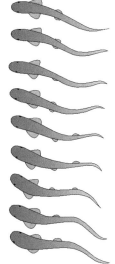

La depredación
vol. 14 - pág. 20

La edad de los peces
vol. 16 - pág. 36

Los escualos se sirven
de oscilaciones laterales
del tronco y de la cola
para nadar y pueden
alcanzar grandes
velocidades.

LAS RAYAS

El ecosistema marino
vol. 15 - pág. 28

Un grupo de escualos que vive tanto en el mar como en las aguas dulces del Trópico ha adoptado un estilo de vida muy particular, para el que ha tenido que modificar profundamente la estructura del cuerpo. Al contrario del resto de los escualos, las rayas viven en el fondo del mar. Así pues, su cuerpo se ha aplanado y ha perdido prácticamente todos los músculos; además, no se desplaza mediante los movimientos laterales del cuerpo y de la cola, sino gracias a las aletas pectorales, que se han desarrollado hasta formar dos amplios triángulos a los lados y que baten como si se tratara de alas. La cola, inútil para la natación, es muy pequeña y, en algunos casos, cuenta con una espina venenosa que sirve para defenderse de los depredadores. En cambio, otras especies, como las tembladeras, han transformado parte de sus músculos en auténticas «pilas» biológicas, capaces de aturdir depredadores y presas mediante fuertes descargas eléctricas. Puesto que las rayas no tienen las mismas necesidades ni costumbres que los escualos, son más lentas que estos. En vez de apresar otros peces, se nutren de crustáceos y moluscos que extraen de la arena o del fango. La boca se abre ventralmente y los dientes son pequeños y aplastados, más aptos para romper animales con caparazón que para cortar

El necton
vol. 15 - pág. 36

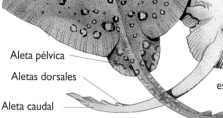

Espiráculo
Aleta pectoral
Hendiduras branquiales
Nariz
Boca
Aleta pélvica
Aletas dorsales
Aleta caudal

El aspecto de una raya, de cuerpo aplanado con los ojos y espiráculos en posición dorsal, muestra las adaptaciones para la vida en los fondos marinos.

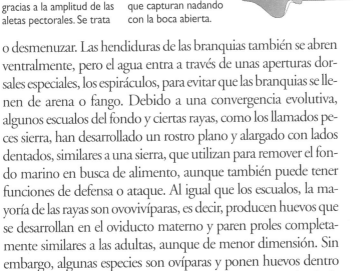

La edad de los peces
vol. 16 - pág. 36

La depredación
vol. 14 - pág. 20

Entre las rayas se encuentran también algunas especies que han abandonado la vida en los fondos y han vuelto a vivir cerca de la superficie, donde «vuelan» en el agua gracias a la amplitud de las aletas pectorales. Se trata de las mantas, que pueden alcanzar hasta 7 metros de largo pero que, al no poder rivalizar en velocidad con los escualos, se han adaptado a alimentarse de plancton que capturan nadando con la boca abierta.

o desmenuzar. Las hendiduras de las branquias también se abren ventralmente, pero el agua entra a través de unas aperturas dorsales especiales, los espiráculos, para evitar que las branquias se llenen de arena o fango. Debido a una convergencia evolutiva, algunos escualos del fondo y ciertas rayas, como los llamados peces sierra, han desarrollado un rostro plano y alargado con lados dentados, similares a una sierra, que utilizan para remover el fondo marino en busca de alimento, aunque también puede tener funciones de defensa o ataque. Al igual que los escualos, la mayoría de las rayas son ovovivíparas, es decir, producen huevos que se desarrollan en el oviducto materno y paren proles completamente similares a las adultas, aunque de menor dimensión. Sin embargo, algunas especies son ovíparas y ponen huevos dentro de las características cápsulas córneas protectoras, dotadas de filamentos que sirven para fijarse en las algas o en las gorgonias.

LOS PECES

El árbol genealógico de los vertebrados pág. 8

El necton vol. 15 - pág. 36

El bentos vol. 15 - pág. 38

En el Devónico, hace unos 400 millones de años, surgieron la mayor parte de los grupos de peces que todavía podemos ver hoy en día. A diferencia de los escualos y las rayas (peces cartilaginosos), la mayor parte de las especies de la clase de los osteíctios (peces óseos) se caracteriza por un esqueleto de hueso, por un opérculo que cubre las branquias y por un órgano de flotación: la vejiga natatoria. Mientras que la temperatura corporal de las aves y de los mamíferos se mantiene más o menos constante, la de los peces varía en función del ambiente circundante. Sin embargo, los peces no son estrictamente animales de «sangre fría», ya que las contracciones musculares de su movimiento producen una gran cantidad de calor. El problema es que este calor se dispersa en el agua. En algunas especies de grandes nadadores existen mecanismos para impedir esta dispersión. El atún, por ejemplo, mantiene durante la natación una temperatura corporal 12 °C por encima de la del agua y, puesto que los músculos calientes trabajan a mayor velocidad que lo fríos, el atún consigue nadar más deprisa que sus presas. Al igual que los escualos, los peces óseos poseen un órgano sensorial particular, específico para la vida acuática: la línea lateral. Se trata de una serie de sensores localizados a

La vejiga natatoria se llena de gas (principalmente oxígeno) para subir, y se vacía para descender. Los peces que viven en el fondo marino suelen carecer de este órgano.

Los peces óseos regulan la profundidad variando su flotabilidad gracias a un simple órgano: la vejiga natatoria, una pequeña cavidad llena de gas.

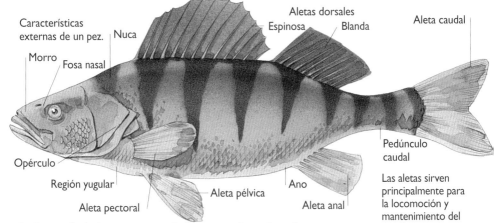

Características
externas de un pez.

Morro
Fosa nasal
Nuca
Aletas dorsales
Espinosa Blanda
Aleta caudal

Opérculo
Región yugular
Aleta pectoral
Aleta pélvica
Ano
Aleta anal
Pedúnculo
caudal

lo largo de la línea que va de los costados a la cabeza y que informan al pez de los movimientos del agua, así que, por tanto, también de la presencia, dirección y velocidad de otros peces que naden alrededor. La línea lateral se encuentra muy desarrollada en los peces que viven en aguas turbias, donde la vista no es muy importante. Algunos peces se han especializado en producir descargas de corriente. La anguila eléctrica o el pez gato generan descargas de más de 500 voltios con las que aturden a las presas o alejan a los agresores. Otros peces tropicales que viven en aguas turbias usan la corriente producida para comunicarse o incluso orientarse en su hábitat.

Las aletas sirven principalmente para la locomoción y mantenimiento del equilibrio, aunque también pueden ser órganos de defensa, en el caso de las puntiagudas, o de advertencia, como en las de vivos colores.

La unión hace la fuerza: numerosos peces viven en bancos, sobre todo para confundir a los depredadores, que quedan desorientados por el enorme número de individuos que se mueven de manera coordinada.

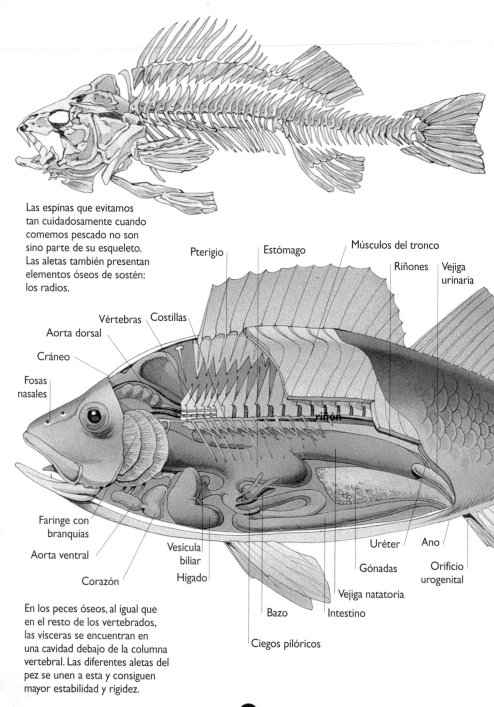

Las espinas que evitamos tan cuidadosamente cuando comemos pescado no son sino parte de su esqueleto. Las aletas también presentan elementos óseos de sostén: los radios.

Pterigio

Estómago

Músculos del tronco

Riñones

Vejiga urinaria

Vértebras

Costillas

Aorta dorsal

Cráneo

Fosas nasales

riñón

Faringe con branquias

Aorta ventral

Vesícula biliar

Corazón

Hígado

Uréter

Ano

Gónadas

Orificio urogenital

Vejiga natatoria

Bazo

Intestino

Ciegos pilóricos

En los peces óseos, al igual que en el resto de los vertebrados, las vísceras se encuentran en una cavidad debajo de la columna vertebral. Las diferentes aletas del pez se unen a esta y consiguen mayor estabilidad y rigidez.

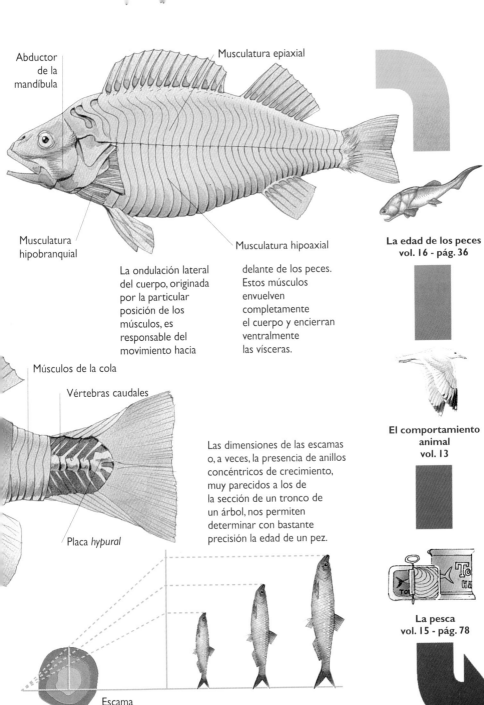

Abductor de la mandíbula

Musculatura epiaxial

Musculatura hipobranquial

Musculatura hipoaxial

La ondulación lateral del cuerpo, originada por la particular posición de los músculos, es responsable del movimiento hacia delante de los peces. Estos músculos envuelven completamente el cuerpo y encierran ventralmente las vísceras.

Músculos de la cola

Vértebras caudales

Placa *hypural*

Las dimensiones de las escamas o, a veces, la presencia de anillos concéntricos de crecimiento, muy parecidos a los de la sección de un tronco de un árbol, nos permiten determinar con bastante precisión la edad de un pez.

Escama

La edad de los peces
vol. 16 - pág. 36

El comportamiento
animal
vol. 13

La pesca
vol. 15 - pág. 78

TIPOS DE PECES

El hábitat de la superficie acuática parece uniforme sólo desde la superficie. Sin embargo, es todo apariencia: las 20 000 especies de peces conocidas (casi la mitad de todos lo vertebrados juntos) reflejan la enorme diversidad existente. El agua dulce o el mar, la superficie o las profundidades, las rocas o los fondos arenosos, la costa o el mar abierto, los trópicos o los polos son sólo algunos ejemplos de los diferentes ambientes en que viven los peces.

Cada pez, con su forma, sus comportamientos, pero también, sobre todo, con las funciones de sus órganos, se ha adaptado perfectamente al ambiente en el que habita. Los veloces nadadores tienen el cuerpo alargado y fusiforme, los depredadores poseen dientes agudos y fuertes mandíbulas, etc. En los polos hay peces que viven bajo la capa de hielo en aguas donde se alcanzan temperaturas de -2 °C. No se congelan porque poseen compuestos anticongelantes en la sangre. En el extremo opuesto, en las cálidas regiones africanas, hay peces,

¿Cómo nace una especie?
vol. 9 - pág. 72

La morena vive en los recovecos de los escollos. Los dientes agudos y las glándulas tóxicas que posee en el paladar la convierten en un animal peligroso incluso para el ser humano.

El pez piloto ha recibido este nombre porque tiene la costumbre de acompañar a los escualos, aunque no lo hace tanto por guiarles, sino para nutrirse de los restos de sus presas.

los dipneos, que sobreviven incluso si se secan los pantanos que les sirven de hogar durante la estación húmeda. ¿Magia? No, al llegar la sequía excavan túneles en el fango y se construyen una especie de capullo. Aquí esperan la siguiente estación de lluvias, respirando el oxígeno atmosférico a través de un pulmón muy rudimentario. Otros peces, en cambio, asumen una coloración parecida al fondo marino en el que se encuentran, mimetizándose perfectamente para escapar de los depredadores o engañar a las presas que se acercan ignorantes del peligro.

Los peces que viven en zonas de fuertes corrientes o en los escollos poseen un órgano en el vientre similar a una ventosa, mientras que la rémora, que se agarra a otros peces para que la transporten, presenta un órgano análogo en posición dorsal. En definitiva, todos los peces, al igual que cada ser vivo, están «construidos» para desarrollar una función específica dentro del ambiente en que viven.

Cuerpo alargado con forma de siluro, morro puntiagudo y fuertes dientes en las mandíbulas hacen de la barracuda, que puede medir hasta 2 metros de largo, un excelente depredador de nuestros mares, agresivo y peligroso hasta para el ser humano.

Ágil y veloz nadador, el pez espada alcanza 5 metros de largo, un tercio de los cuales corresponde a veces a la «espada», una prolongación de la mandíbula.

Los peces de los arrecifes presentan aletas muy desarrolladas pues, más que la velocidad, lo que les importa es moverse con agilidad en los estrechos espacios de su hábitat.

El cuerpo del atún, con forma de siluro, es perfecto desde el punto de vista hidrodinámico. Depredador vagante, alcanza 70 kilómetros por hora. Suele tener 4 metros de largo y 6 quintales de peso.

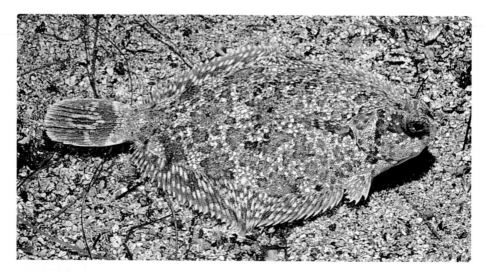

Algunos peces, como los lenguados y los rodaballos, adaptados a la vida en los fondos, son planos y asimétricos. Al nacer, la larva posee los ojos en ambas partes del cuerpo; después, a medida que crece, un ojo se sitúa junto al otro. Al final del desarrollo, el lado del cuerpo que se apoya en el fondo es ciego.

La vida en las oscuras profundidades marinas impone adaptaciones muy particulares, imprescindibles para sobrevivir en este ambiente tan extremo. Este rape abisal «luce» sobre el cráneo un pedúnculo con el extremo luminiscente que sirve de cebo para las presas.

La biodiversidad
vol. 14 - pág. 22

El macho del caballito de mar (arriba) cuida de los huevos empollándolos en una especie de marsupio. Se trata de un pez con una forma inusual, de hasta 16 centímetros de largo, que presenta aletas pequeñísimas y una cola prensil con la que se agarra a las algas.

Los vivos colores del pez escorpión (abajo) y la particular disposición de las aletas nos avisan de su peligrosidad. De hecho, posee unas glándulas en los radios de las aletas que segregan un veneno mortal.

Los océanos
vol. 15

LOS ANFIBIOS

La palabra «anfibio» deriva del griego y significa «con doble vida», un nombre apropiado para estos animales que transcurren parte de su vida en el agua y parte en la tierra. Sin embargo, entre los anfibios se incluyen algunas especies que no entran jamás en el agua, ni siquiera para reproducirse, y otras que, en cambio, no la abandonan nunca.

Los cerca de 4 000 anfibios modernos se dividen en tres órdenes: los urodelos (350 especies) tienen el cuerpo alargado, una larga cola y las cuatro patas más o menos iguales; los ápodos o gimnofionos (150 especies) carecen de miembros; y los anuros (3 500 especies) carecen de cola y tienen el cuerpo adaptado para el salto. No hay una única modalidad de reproducción y cuidado de las crías, aunque la más común consiste en desovar en el agua, donde los huevos darán origen a larvas acuáticas, los renacuajos, que, posteriormente, se transformarán en adultos.

Pueden nacer de huevos puestos en la tierra o directamente de la hembra. Algunas especies de anuros llevan los huevos pegados a la piel, otros en cavidades en los flancos o en el dorso, y hay quienes los llevan en los sacos bucales e incluso en el estómago. La piel es el punto más débil de los anfibios debido a su alta permeabilidad. La muerte por deshidratación supone una amenaza

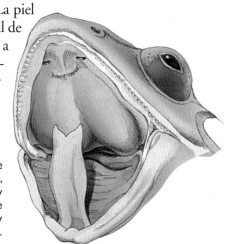

La lengua, pegajosa, sirve para capturar el alimento, generalmente insectos y otros invertebrados, que son atraídos a la boca y tragados enteros.

Las largas patas traseras se usan para un «estilo» de natación que aprovecha el impulso de los miembros posteriores más que la ondulación del cuerpo.

Como adaptación a la vida subterránea, la mayor parte de los ápodos posee ojos muy reducidos y a veces recubiertos de piel.

Normalmente, los urodelos, como esta salamandra manchada, presentan coloraciones vistosas para avisar de su toxicidad a los posibles depredadores.

continua y por ello han adoptado múltiples comportamientos capaces de limitar al mínimo la pérdida exterior del agua. Por otra parte, la ausencia de escamas, aletas o cualquier otra protección rígida ha obligado a los anfibios a defenderse de manera diferente contra los depredadores; la mayor parte poseen en la piel sustancias tóxicas o desagradables. Algunos indios de Sudamérica envenenan la punta de sus flechas restregándolas por el lomo de ciertas ranas. Estas sustancias suelen asociarse a brillantes coloraciones, que tienen como objetivo hacer que el animal resulte llamativo a los ojos del depredador, que, si ya probó el desagradable sabor alguna vez, lo reconocerá y evitará.

Investigaciones llevadas a cabo con ranas indican que el canto que el macho emite en los estanques de reproducción llama la atención de la hembra y la dirige hasta él.

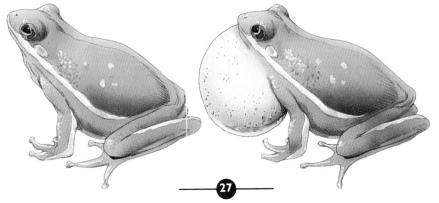

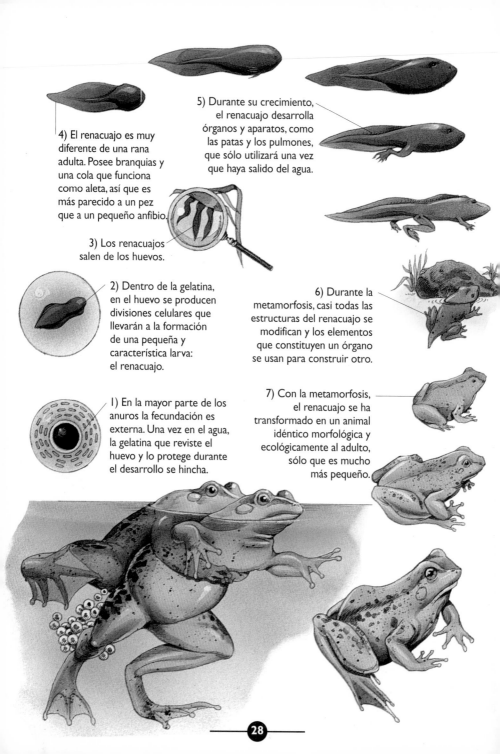

5) Durante su crecimiento, el renacuajo desarrolla órganos y aparatos, como las patas y los pulmones, que sólo utilizará una vez que haya salido del agua.

4) El renacuajo es muy diferente de una rana adulta. Posee branquias y una cola que funciona como aleta, así que es más parecido a un pez que a un pequeño anfibio.

3) Los renacuajos salen de los huevos.

2) Dentro de la gelatina, en el huevo se producen divisiones celulares que llevarán a la formación de una pequeña y característica larva: el renacuajo.

6) Durante la metamorfosis, casi todas las estructuras del renacuajo se modifican y los elementos que constituyen un órgano se usan para construir otro.

1) En la mayor parte de los anuros la fecundación es externa. Una vez en el agua, la gelatina que reviste el huevo y lo protege durante el desarrollo se hincha.

7) Con la metamorfosis, el renacuajo se ha transformado en un animal idéntico morfológica y ecológicamente al adulto, sólo que es mucho más pequeño.

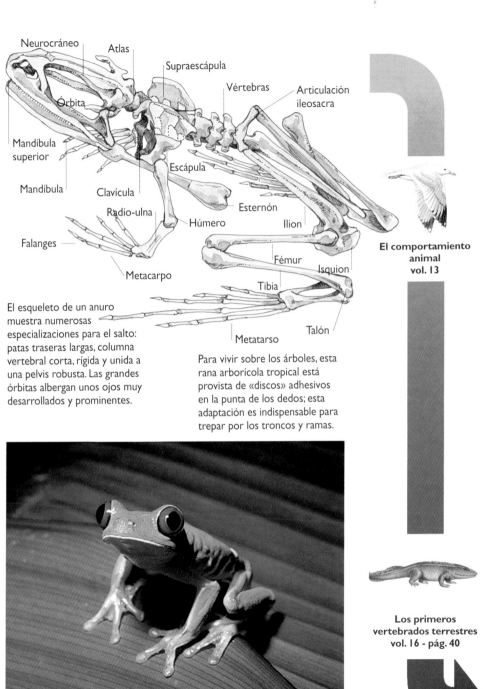

Neurocráneo
Atlas
Supraescápula
Vértebras
Articulación ileosacra
Órbita
Mandíbula superior
Escápula
Mandíbula
Clavícula
Radio-ulna
Húmero
Esternón
Ilion
Falanges
Metacarpo
Fémur
Isquion
Tibia
Talón
Metatarso

El comportamiento animal
vol. 13

El esqueleto de un anuro muestra numerosas especializaciones para el salto: patas traseras largas, columna vertebral corta, rígida y unida a una pelvis robusta. Las grandes órbitas albergan unos ojos muy desarrollados y prominentes.

Para vivir sobre los árboles, esta rana arborícola tropical está provista de «discos» adhesivos en la punta de los dedos; esta adaptación es indispensable para trepar por los troncos y ramas.

Los primeros vertebrados terrestres
vol. 16 - pág. 40

LOS REPTILES

Los reptiles fueron los primeros vertebrados que abandonaron el agua para adaptarse a la vida en tierra firme. Algunos regresaron a ella dando origen a los grandes reptiles marinos, los ictiosaurios, mientras que otros, los pterosaurios, conquistaron el hábitat aéreo. También eran reptiles los dinosaurios que dominaron la Tierra hace entre 230 y 65 millones de años. La conquista del ambiente terrestre ha supuesto un paso crucial para el que han sido necesarias una serie de adaptaciones con las que resolver los «problemas» que plantea la vida fuera del agua; el primero de todos la deshidratación. Para evitar que el embrión se seque y no sufra golpes, los reptiles han «inventado» un complejo huevo, formado por una cáscara externa y una serie de ingeniosas membranas, el amnios, el corion y el alantoides.

El embrión se encuentra suspendido dentro de la cavidad formada por el amnios, que está llena de un líquido seroso y, por tanto, imita el ambiente acuático. Corion y alantoides participan en la respiración y una cavidad especial formada por el alantoides recoge los productos de desecho. El saco vitelino, lleno de sustancias nutritivas, completa el conjunto haciendo del

El árbol genealógico de los vertebrados pág. 8

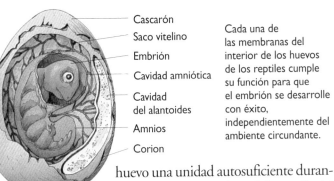

Cascarón
Saco vitelino
Embrión
Cavidad amniótica
Cavidad del alantoides
Amnios
Corion

Cada una de las membranas del interior de los huevos de los reptiles cumple su función para que el embrión se desarrolle con éxito, independientemente del ambiente circundante.

huevo una unidad autosuficiente durante todo el tiempo que dura el desarrollo del embrión. Una vez que han salido del huevo, los reptiles se protegen de una excesiva pérdida de agua gracias a su piel, que es muy densa, está recubierta de escamas córneas, y ha perdido las glándulas indispensables para la respiración cutánea. La respiración es posible porque los pulmones han asumido un papel predominante. A pesar de estas y otras adaptaciones, como la presencia de uñas y de un órgano reproductor para transferir directamente el esperma en las vías genitales de la hembra, los reptiles, al igual que los anfibios, están limitados debido a la imposibilidad de regular su temperatura corporal. Esto les hace depender de la temperatura externa y no son capaces de mantener largos períodos de actividad.

La posición paralela a los rayos solares disminuye la cantidad de piel expuesta al Sol, mientras que el exceso de calor se dispersa a la altura del vientre.

Al igual que el resto de los reptiles, la iguana marina de las Galápagos utiliza una serie de mecanismos fisiológicos y de comportamientos para regular su temperatura corporal.

Los camaleones (a la izquierda), conocidos sobre todo por la capacidad de cambiar rápidamente de color, son reptiles muy especializados, con un cuerpo comprimido lateralmente, dedos aptos para aferrar y adaptados, como la cola prensil, a la vida arbórea.

El comportamiento animal
vol. 13

El origen de los reptiles
vol. 16 - pág. 46

LOS QUELONIOS

El orden de los quelonios comprende esos reptiles de aspecto arcaico e inconfundible conocidos con el nombre de tortugas. Aunque generalmente utilizamos este término para referirnos a todas las tortugas, hay que señalar que las verdaderas tortugas son las marinas, mientras que las de agua dulce y terrestres se llaman terrapenes y tortugas terrestres respectivamente. Los quelonios son los únicos vertebrados que tienen el cuerpo encerrado casi por completo en una coraza rígida, que está formada por una capa de placas óseas cutáneas revestidas a su vez de escudos córneos dispuestos de manera regular. Esta coraza, llamada caparazón, está compuesta de un escudo superior convexo y una placa inferior más plana llamada plastrón; ambas partes están unidas por un puente óseo.

Todos los órganos vitales se encuentran dentro del caparazón, que constituye una eficaz defensa contra los depredadores. La mayor parte de las especies puede retraer la cabeza y las extremidades como si las metieran en una caja. De hecho, mientras que las vértebras y las costillas torácicas suelen estar soldadas entre sí y el escudo dorsal óseo, las vértebras cervicales y las extremidades se mueven libremente. La forma de estas últimas varía en función del hábitat del quelonio.

En las tortugas terrestres, las extremidades son cortas y poseen uñas córneas muy útiles para excavar. En las especies marinas se han convertido en aletas para nadar, mientras que en las de agua dulce y pantanosa tienen

Aunque el récord de grandeza entre los quelonios pertenece a la tortuga laúd, la tortuga gigante de las Galápagos, con más de un metro de largo y un peso de hasta 200 kilos, es el quelonio terrestre más grande.

Es fácil ver en el esqueleto de un quelonio las vértebras y las costillas soldadas a las placas óseas ventrales, y las vértebras libres de la zona cervical. A su vez, las placas óseas del plastrón están soldadas entre sí.

características intermedias, útiles tanto para la natación como para el movimiento en tierra firme.

Los quelonios carecen de dientes; en su lugar tienen un pico córneo que utilizan para desgarrar, triturar y desmenuzar el alimento, constituido generalmente por vegetales en el caso de las especies terrestres. Las especies acuáticas, en cambio, son carnívoras.

Todos los quelonios, incluso los que viven exclusivamente en el mar, vuelven a tierra firme para poner los huevos. Para las tortugas marinas, que se mueven con dificultad sobre la superficie a causa de sus extremidades, que las obligan a arrastrarse, y a su peso considerable, la puesta de los huevos es una operación difícil y extenuante para la que necesitan más de una hora.

Las tortugas son famosas por su longevidad. Se sabe que ciertos quelonios terrestres en cautividad han vivido más de 100 años y algunos quelonios acuáticos de 20 a 90 años. Es probable que en el pasado, cuando el efecto del ser humano en el medio ambiente no era tan grave, los quelonios viviesen tanto o más tiempo.

Las migraciones oceánicas
vol. 15 - pág. 76

Las tortugas marinas son quelonios muy bien adaptados a la vida en el mar. Sólo las hembras se desplazan a tierra firme, y lo hacen exclusivamente para desovar.

La tortuga laúd es la única representante de la familia de los dermoquélidos, tortugas marinas que han sustituido el caparazón por una oscura dermis lisa y coriácea. Los adultos pueden alcanzar una longitud de 2,5 metros.

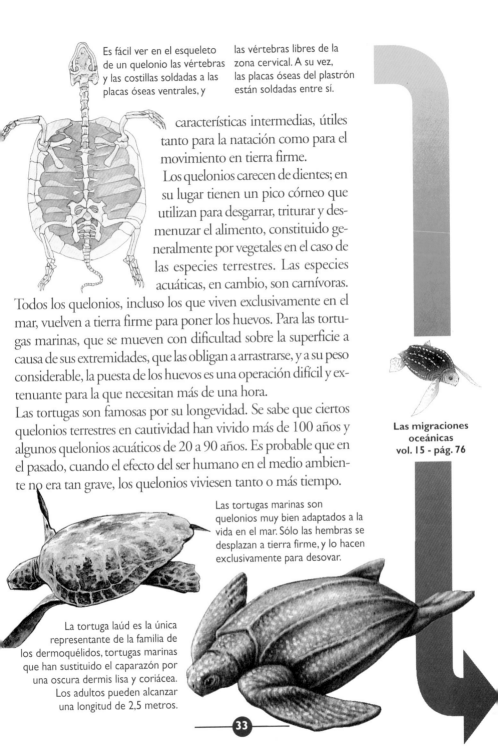

LOS SAURIOS

Los saurios comprenden numerosas especies de reptiles de distintas formas y tamaños, como los lagartos, los varanos, los gecos, los luciones y los camaleones. Algunos saurios tienen el cuerpo sutil y liso y las extremidades son cortas o carecen de ellas, como es el caso del lución, que es exactamente igual a una serpiente. Otros, en cambio, están dotados de patas y crestas, aletas e incluso tubérculos espectaculares.

Las dimensiones del geco son muy reducidas (máximo 40 centímetros) y en los extremos de las patas posee almohadillas muy parecidas a las ventosas, gracias a las cuales puede trepar por superficies verticales y lisas. Entre los varanos, en cambio, algunas especies alcanzan grandes dimensiones; el varano de Komodo llega a medir tres metros de largo y tiene el aspecto de un dragón. Además, existen especies que presentan adaptaciones para la vida acuática, como la iguana marina, que tiene una cola aplastada lateralmente que cumple la función de órgano de propulsión en la natación. En otras especies, por el contrario, la cola es larga y sutil y sirve de contrapeso en la carrera, o es corta y achaparrada en las especies más lentas. La cola de los camaleones es larga y prensil, idónea para la vida arborícola, y puede enrollarla ventralmente.

**Los reptiles
pág. 30**

Muchos saurios presentan zonas de las vértebras caudales que no son completamente óseas. Si se pilla la cola, las vértebras se rompen en alguna de estas zonas y permiten que el animal recupere su libertad. Posteriormente, la porción seccionada se regenera.

La dermis de los saurios es flexible porque las escamas se sobreponen como las tejas de un tejado. La piel contiene unas células especiales llamadas cromatóforos que son las responsables de los notables cambios de color típicos de numerosas especies. Muchas formas de saurios diurnos presentan comportamientos complejos ligados a la defensa del territorio, al cortejo y a la lucha, especialmente desarrollados en los machos adultos. A los característicos movimientos como «afirmar» con la cabeza, erguir el cuerpo, meter los flancos, hinchar las bolsas yugulares o levantar las crestas dorsales, se asocia la exhibición de ciertos colores. Estos comportamientos cumplen un papel fundamental en la comunicación dentro de la especie y desarrollan una función análoga al canto de los pájaros, pues facilitan el reconocimiento de la pareja o proporcionan información sobre el estado fisiológico y el «humor» de un individuo.

La depredación
vol. 14 - pág. 20

Numerosas especies de la familia de los iguánidos (a la izquierda) poseen crestas dorsales y sacos yugulares que hinchan cuando se sienten amenazados.

El geco europeo (a la derecha) es un simpático saurio de 8 centímetros de largo; se alimenta de insectos nocturnos y es característico del archipiélago toscano, Cerdeña y Córcega.

Los camaleones cuentan con una larga lengua vermiforme y pegajosa que pueden proyectar hacia fuera para capturar los insectos de los que se nutren.

LAS SERPIENTES

La característica más evidente y conocida de las serpientes (la forma alargada de sus cuerpos y la ausencia de extremidades) se encuentra también presente en muchos saurios, al igual que la ausencia orejas. Por otra parte, algunas serpientes como las pitones y las boas presentan todavía vestigios de la cintura pélvica y de las extremidades traseras. La mayor parte de estos extraordinarios reptiles, objeto permanente de amores y odios, miedo y veneración por parte del ser humano, ha perdido completamente no sólo las extremidades, sino también la cintura pectoral y pélvica, que son los huesos de sostén interno del cuerpo, el esternón, la vejiga urinaria, los párpados y el conducto acústico externo.

En compensación, las serpientes han desarrollado numerosas especializaciones en la forma y la función de otras partes del cuerpo, lo que las convierte en animales perfectamente adaptados a los diferentes hábitats en que viven. El número de vértebras ha aumentado considerablemente y casi todas se encuentran articuladas entre sí para asegurar el serpenteo y facilitar la locomoción. El cuerpo se encuentra revestido de placas córneas y escamas, más largas en el vientre, que contienen receptores de sensibilidad. La boca, con una capacidad de abertura bucal extraordinaria, está dotada de dientes inclinados hacia el interior que sirven para mantener agarrada la presa mientras la ingieren;

**Los reptiles
pág. 30**

Las serpientes no despedazan la comida ni la mastican, sino que la tragan entera. Una conexión flexible entre la mandíbula y el maxilar permite que traguen presas con un diámetro mayor que el de sus cuerpos.

de hecho, las serpientes se nutren generalmente de animales vivos que tragan enteros. Algunas especies poseen en la mandíbula superior dientes huecos para inyectar el veneno producido por unas glándulas venenosas especiales. El veneno de numerosas especies es peligroso o mortal incluso para el ser humano. El oído no está muy desarrollado y la vista, aunque excelente en numerosas especies, se limita a los objetos en movimiento. Por otra parte, el olfato es extraordinariamente agudo gracias a la lengua, que es bífida, capaz de recoger hasta los más evanescentes estímulos olfativos.

La boca de las serpientes es una sofisticada máquina asesina. Los dientes del veneno inyectan las sustancias letales a la presa, mientras otra serie de dientes curvos impiden que escape.

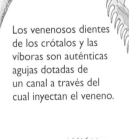

Es fácil observar en el esqueleto de una serpiente la ausencia total de las extremidades y del esternón, así como la presencia de numerosas vértebras y costillas, que prácticamente tienen la misma estructura.

Los venenosos dientes de los crótalos y las víboras son auténticas agujas dotadas de un canal a través del cual inyectan el veneno.

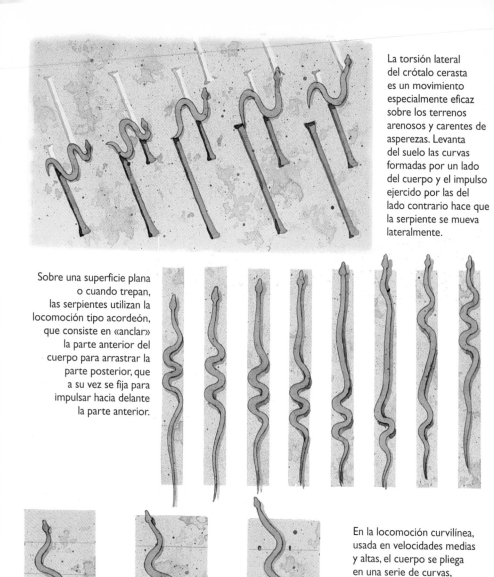

La torsión lateral del crótalo cerasta es un movimiento especialmente eficaz sobre los terrenos arenosos y carentes de asperezas. Levanta del suelo las curvas formadas por un lado del cuerpo y el impulso ejercido por las del lado contrario hace que la serpiente se mueva lateralmente.

Sobre una superficie plana o cuando trepan, las serpientes utilizan la locomoción tipo acordeón, que consiste en «anclar» la parte anterior del cuerpo para arrastrar la parte posterior, que a su vez se fija para impulsar hacia delante la parte anterior.

En la locomoción curvilínea, usada en velocidades medias y altas, el cuerpo se pliega en una serie de curvas, no necesariamente regulares. Cada curva ejerce una presión hacia detrás.

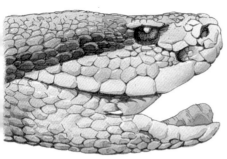

Los crótalos poseen entre los orificios nasales y el ojo una pequeña fosa sensible a las más mínimas variaciones de temperatura. Esto les permite localizar sin dificultad las presas de sangre caliente, como pequeños roedores, si se encuentran los suficientemente cerca.

El cascabel o crótalo de las serpientes de cascabel (llamadas por eso crótalos) está compuesto de anillos córneos, duros y huecos, articulados de modo elástico y que producen una sonora crepitación cuando la cola vibra.

La depredación
vol. 14 - pág. 20

En las serpientes la fecundación es interna. Los machos están dotados de dos órganos de copulación llamados hemipenes, provistos de espinas y ganchos, que sirven para sujetarse con fuerza a la hembra durante el apareamiento.

 # LOS COCODRILOS

Todos los cocodrilos —es decir, aligatores, caimanes, gaviales y cocodrilos en sí– tienen el aspecto de gigantescos lagartos dotados de un largo hocico, potentes mandíbulas y un cuerpo robusto cubierto de grandes placas córneas. Se trata de los reptiles vivos más grandes. Entre las especies extinguidas existían espectaculares ejemplares que superaban los 10 metros de largo, aunque algunas de las que viven actualmente alcanzan la notable longitud de 7 metros. A excepción del *Crocodylus porosus*, que habita en aguas salobres y marinas, los cocodrilos viven en ríos, lagos y pantanos de las regiones tropicales de Australia y del Viejo y del Nuevo Mundo.

Transcurren la mayor parte del tiempo en el agua, al reparo de los rayos solares, inmóviles y escondidos para abalanzarse sobre sus víctimas con movimientos imprevistos. Poseen numerosas adaptaciones para la vida acuática. La especial distribución del aire en los pulmones permite que los cocodrilos floten con el tronco y la cola inclinados hacia abajo, de modo que sólo quedan al descubierto las fosas nasales, los oídos y los ojos. Además, poseen unas válvulas que hacen que puedan abrir la boca en busca de comida sin que el agua entre en los pulmones. Los cocodrilos aguantan apneas increíbles de hasta más de 60 minutos. La formidable cola está aplanada verticalmente y cumple el papel de órgano propulsor durante la natación. Se alimentan fundamentalmente de peces, anfibios y otros reptiles, aunque en edad avanzada (¡pueden llegar a los 100 años!) también comen pájaros y mamíferos

**Los reptiles
pág. 30**

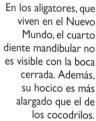

En los aligatores, que viven en el Nuevo Mundo, el cuarto diente mandibular no es visible con la boca cerrada. Además, su hocico es más alargado que el de los cocodrilos.

Todo lo que tienen de patosos en la superficie, lo tienen de rápidos y ágiles en el agua. Aunque se trata de animales acuáticos, los cocodrilos no son peces y mantienen fuera del agua los oídos, los ojos y, sobre todo, las fosas nasales para poder respirar.

La depredación
vol. 14 - pág. 20

que capturan en las orillas. El cocodrilo del Nilo es capaz de atrapar e ingerir presas de gran tamaño como búfalos, hipopótamos, jirafas o leones y es peligroso para el ser humano. Tras el apareamiento, las hembras ponen entre veinte y cien huevos en agujeros que excavan en la arena, o bien en «nidos» de vegetación putrescente donde dejan que se incuben con el calor producido por la descomposición de los vegetales.

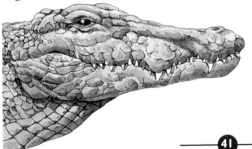

En los cocodrilos que viven en el Viejo Mundo, el cuarto diente de la mandíbula inferior encaja con un hueco situado en el maxilar superior y asoma cuando la boca está cerrada.

LAS AVES

Las aves presentan características únicas dentro de los vertebrados. En primer lugar, son los únicos animales con el cuerpo cubierto de plumas y además son, junto con los murciélagos, los únicos vertebrados capaces de volar. Estas dos «particularidades» están estrechamente ligadas entre sí. De hecho, la peculiar estructura de las plumas y su disposición en las alas permite que las aves vuelen. Además, también protegen la dermis y aíslan térmicamente el cuerpo, haciendo posible que los pájaros ocupen ambientes caracterizados por las temperaturas más extremas.

El desarrollo precoz de la homeotermia, es decir, del mecanismo regulador de la temperatura corporal imprescindible para las grandes necesidades energéticas impuestas por el vuelo, marca la historia evolutiva de esta clase que deriva, según todos los indicios, de pequeños reptiles bípedos progenitores de los dinosaurios o de los propios dinosaurios. Los pájaros han heredado de los reptiles numerosas características que han permitido la reducción de su peso y, por tanto, favorecido su éxito como voladores, comenzando por el desarrollo completamente externo de los huevos. Posteriormente se consiguió reducir de nuevo el peso gracias a la particular conformación del esqueleto. Para obtener un cuerpo compacto, rígido y aerodinámico capaz de poder volar, algunos huesos de los pájaros se han unido, mientras que otros se han reforzado o incluso

El árbol genealógico de los vertebrados pág. 8

Estructura de una pluma. El raquis (o eje) sostiene numerosas ramas o barbas con multitud de bárbulas entrelazadas, que se enganchan a las de la barba sucesiva formando una estructura coherente.

desaparecido. Por otra parte, su estructura interna cuenta con numerosas cavidades, ocupadas normalmente por divertículos de los sacos neumáticos de los pulmones, facilitando la respiración y disipando el calor generado por la actividad muscular. Lógicamente, los sentidos más desarrollados de estos animales son la vista y el oído, así como también han desarrollado el uso de la voz, elementos todos indispensables para recibir y transmitir informaciones a gran distancia.

Los huevos que ponen los pájaros necesitan recibir calor, ser incubados o empollados para permitir el desarrollo del embrión y todos los polluelos, a excepción de los megapódidos, necesitan que los adultos les alimenten y protejan una vez que salen de los huevos.

Muchas especies de pájaros realizan migraciones. Pueden recorrer miles de kilómetros orientándose por el Sol, las constelaciones, el campo magnético terrestre o memorizando detalles del recorrido.

Las plumas tectrices constituyen el revestimiento externo del cuerpo y comprenden las plumas de las alas o remeras, las de la cola o timoneras y las plumas coberteras.

Las filoplumas tienen un raquis largo y sutil y escasas barbas con bárbulas sin enganches. Pueden cumplir la función de control de los movimientos de las plumas.

Las plumas poseen barbas largas y flexibles y bárbulas sin enganches. Proporcionan un buen aislamiento térmico.

Las vibrisas son plumas modificadas, «desnudas» o con pocas barbas en la base del raquis. Los vencejos las tienen alrededor del pico y les sirven de «trampas» para insectos.

Mientras que con una inspiración profunda el ser humano puede cambiar el 75 % del aire de los pulmones, los pájaros lo sustituyen completamente. Esto es posible gracias a la presencia de sacos neumáticos, que permiten que el aire inspirado atraviese los pulmones en una sola dirección en vez de recorrer en ambos sentidos la misma vía.

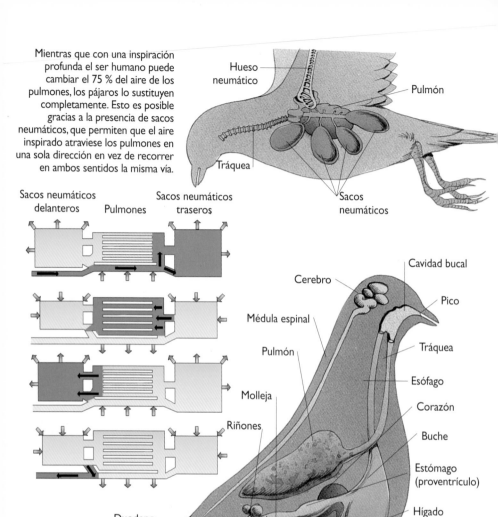

Hueso neumático

Pulmón

Tráquea

Sacos neumáticos

Sacos neumáticos delanteros

Pulmones

Sacos neumáticos traseros

Cavidad bucal

Cerebro

Pico

Médula espinal

Tráquea

Pulmón

Esófago

Molleja

Corazón

Riñones

Buche

Estómago (proventrículo)

Duodeno

Hígado

Uréter

Conducto biliar

Íleo

Cloaca

Recto

Ciego

Páncreas

Las diferentes partes del sistema digestivo de los pájaros se han desarrollado en función de las costumbres alimenticias de cada especie. Así, el proventrículo está mucho más desarrollado en los pájaros que se alimentan de peces, carne e insectos, mientras que los herbívoros y los granívoros poseen una molleja muy musculosa.

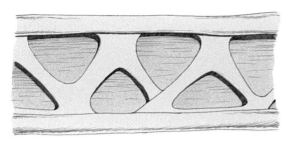

Una importante característica del esqueleto de los pájaros es que es muy ligero a la vez que robusto. Los huesos son huecos y presentan un sistema de travesaños rígidos que refuerzan la estructura y aumentan su resistencia.

El comportamiento animal vol. 13

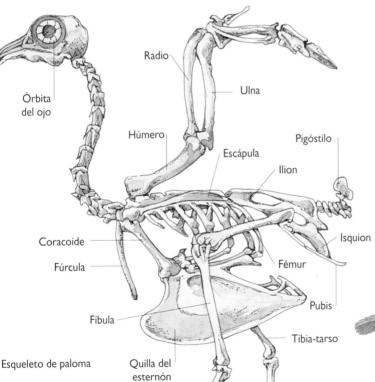

Radio

Ulna

Órbita del ojo

Húmero

Escápula

Pigóstilo

Ilion

Coracoide

Isquion

Fúrcula

Fémur

Pubis

Fíbula

Tibia-tarso

Esqueleto de paloma

Quilla del esternón

Tarso-metatarso

Las aves marinas vol. 15 - pág. 48

El nacimiento de los pájaros vol. 16 - pág. 62

TIPOS DE AVES

Las cerca de 8 700 especies existentes se extienden por todo el mundo, desde el nivel del mar a más de 6 000 metros de altitud, desde el Ártico a la Antártida. Fue precisamente observando los diversos hábitos alimentarios de algunas especies de pinzones de las Galápagos, cada una de ellas con picos diferentes, cuando Darwin tuvo la primera intuición acerca del proceso de selección natural, lo que posteriormente se convirtió en el fundamento de su teoría sobre la evolución de las especies. De hecho, como todos los seres vivos, los pájaros responden a las «presiones» ejercidas por el ambiente en que viven, así que modifican sus estructuras para favorecer las adaptaciones más ventajosas.

Estas adaptaciones están estrechamente ligadas a las necesidades básicas de la existencia: nutrirse, reproducirse, escapar de los depredadores y comunicarse. La forma del pico suele indicar los hábitos alimentarios de un pájaro y las patas proporcionan una serie de datos sobre el ambiente en que viven. Los pájaros no sólo usan las patas para correr, saltar o caminar, sino también para nadar, trepar, posarse en las ramas, matar y sujetar a sus presas. El mimetismo, es decir, la capacidad para confundirse con el entorno, es un truco para escapar de los depredadores. Las perdices blancas lo han

**¿Cómo nace
una especie?
vol. 9 - pág. 72**

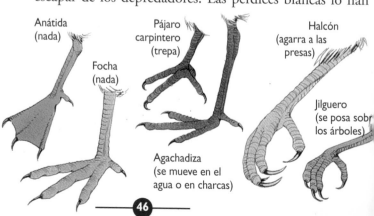

Anátida
(nada)

Focha
(nada)

Pájaro
carpintero
(trepa)

Agachadiza
(se mueve en el
agua o en charcas)

Halcón
(agarra a las
presas)

Jilguero
(se posa sobr
los árboles)

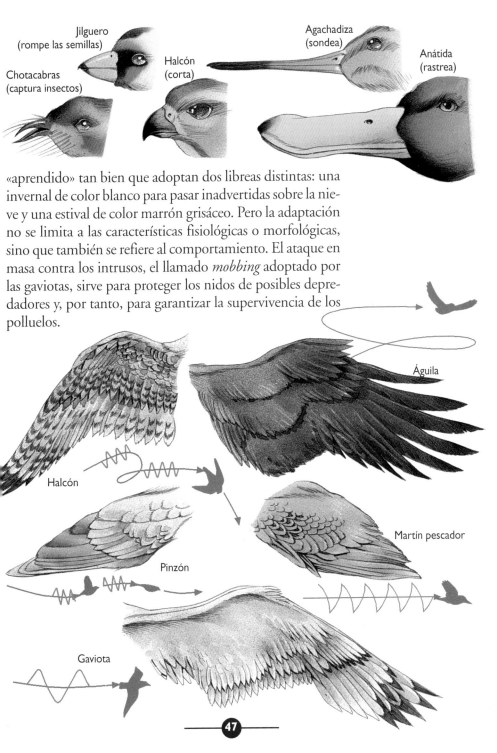

Jilguero
(rompe las semillas)

Chotacabras
(captura insectos)

Halcón
(corta)

Agachadiza
(sondea)

Anátida
(rastrea)

«aprendido» tan bien que adoptan dos libreas distintas: una invernal de color blanco para pasar inadvertidas sobre la nieve y una estival de color marrón grisáceo. Pero la adaptación no se limita a las características fisiológicas o morfológicas, sino que también se refiere al comportamiento. El ataque en masa contra los intrusos, el llamado *mobbing* adoptado por las gaviotas, sirve para proteger los nidos de posibles depredadores y, por tanto, para garantizar la supervivencia de los polluelos.

Águila

Halcón

Martín pescador

Pinzón

Gaviota

La cigüeña blanca (a la derecha) está presente en toda Europa, a excepción de Italia, y en toda la región mediterránea. Suele anidar en los centros urbanos, sobre los tejados y postes. Realiza grandes migraciones hasta el sur de África.

El pico picapinos (arriba) vive sobre los árboles de los bosques y forestas y produce un peculiar sonido cuando excava la madera con el pico; se trata de un auténtico lenguaje.

Los alcatraces de las Galápagos (a la derecha) son aves marinas que nidifican en grandes colonias. «Primos» de los famosos pelícanos y de los cormoranes, los alcatraces son grandes nadadores y se sumergen para capturar peces. También son buenos voladores y tienen hábitos migratorios.

Las lechuzas (abajo) son inconfundibles gracias al disco facial de color blanco en forma de corazón. Aves nocturnas por excelencia y formidables depredadores, forman parejas que se mantienen juntas toda la vida.

El águila de cabeza blanca (arriba) es el emblema de Estados Unidos. Esta fantástica rapaz vive en la zona norte de América y se alimenta de pájaros y peces que captura en los litorales marinos y en los grandes lagos continentales.

La biodiversidad
vol. 14 - pág. 22

AVES QUE NO VUELAN

No todas las aves vuelan. Hay algunas que han «elegido» un camino diferente. Los pingüinos, que sólo existen en el hemisferio austral, donde viven y anidan en las costas de la Antártida y las tierras vecinas, son los pájaros que mejor se han adaptado a la vida en el ambiente marino. Lo han conseguido compensando la pérdida de la capacidad de vuelo con una extraordinaria habilidad en la natación, compitiendo incluso con las focas gracias a sus alas estrechas, parecidas a las aletas, y a la forma hidrodinámica del cuerpo. Si han podido renunciar a volar es porque en el hábitat en que viven no hay depredadores terrestres y todo el alimento se encuentra bajo el agua.

También existen otros grandes pájaros terrestres que han perdido el uso de las alas, prácticamente inexistentes, pero que, en cambio, se han convertido en excelentes corredores. Se trata de las avestruces de África, los ñandúes sudamericanos, los casuarios de Australia y los emúes de Nueva Guinea, todos ellos con numerosas características en común; los músculos pectorales, las alas y la quilla del esternón se han atrofiado, las plumas son mullidas y más parecidas al plumón y carecen completamente de la glándula uropigiana, indispensable para la lubricación en los pájaros que vuelan. Todas están dotadas de un largo cuello y de patas robustas, idóneas para

Las aves
pág. 42

La adaptación
vol. 9 - pág. 68

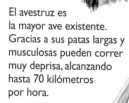

El avestruz es
la mayor ave existente.
Gracias a sus patas largas y
musculosas pueden correr
muy deprisa, alcanzando
hasta 70 kilómetros
por hora.

Los pingüinos son aves perfectamente adaptadas a la vida de las frías aguas del hemisferio austral. Tienen los pies palmeados y una espesa capa de grasa subcutánea les defiende del frío.

la carrera. Los machos de avestruz pueden medir hasta 2,75 metros de altura. Estas aves se han vuelto así de grandes porque no necesitan levantar el vuelo y su tamaño les ayuda a defenderse de los depredadores.

La pérdida de la capacidad para volar también es común en varias especies que viven en islas donde apenas hay depredadores, de los que de todas formas es difícil alejarse. Por desgracia, la mayor parte de estas aves se ha extinguido en los últimos siglos debido a que el ser humano ha introducido en las islas mamíferos depredadores y ratas y ratones, predadores de huevos. El superviviente más famoso es el kiwi, el pájaro símbolo de Nueva Zelanda.

La ausencia de depredadores y la abundancia de peces han favorecido que el cormorán de las Galápagos pierda la capacidad para volar y sus alas se hayan vuelto muy cortas.

Las islas
vol. 15 - pág. 72

Las praderas
vol. 14 - pág. 62

La Antártida
vol. 14 - pág. 86

LOS MAMÍFEROS

La clase de los mamíferos es la que ha sufrido más variaciones de formas, dimensiones y estilos de vida. Su éxito se debe a una serie de «conquistas» evolutivas que han permitido que ocupe todos los hábitats terrestres. Estas conquistas, más allá de las especializaciones que han llevado incluso a grandes transformaciones de la estructura básica (basta pensar en las diferencias que existen entre una ballena, un gato y un murciélago) son comunes en toda esta clase. La primera de todas es la homeotermia, es decir, la presencia de un mecanismo interno que regula la temperatura corporal.

Junto con la aparición del pelo y, en muchos casos, de depósitos subcutáneos de grasa, la homeotermia ha permitido que los mamíferos ocupen hasta los ambientes más fríos, normalmente vetados a los reptiles. La evolución de una dentadura diferenciada ha hecho posible que los mamíferos puedan usar una variedad de alimentos muy amplia. Los sentidos, muy desarrollados, especialmente el oído y el olfato, permiten

El árbol genealógico
de los vertebrados
pág. 8

El pelaje de los mamíferos tiene su origen en las papilas del pelo, dentro de los folículos pilíferos.

Una vez que ha crecido, el pelo es un producto epidérmico sin vida que se renueva periódicamente.

que reciban gran cantidad de información sobre el entorno. Un cerebro y un cerebelo más grandes ayudan a los mamíferos a coordinar mejor sus movimientos y, sobre todo, a desarrollar funciones complejas como el aprendizaje y la memoria de la información recibida. Sin embargo, desde el punto de vista reproductivo, la gran conquista de los mamíferos la representa la viviparidad, es decir, el desarrollo de la cría en el interior de las vías genitales de la hembra. Aunque los mamíferos menos evolucionados, los monotremas, siguen poniendo huevos, mientras que otros, como los marsupiales, son ovovivíparos. Pero todos poseen glándulas mamarias, de las que reciben el nombre y que son las que producen la leche que nutre a las crías.

Las especies de mamíferos conocidas y existentes en la actualidad son unas 4 600. El grupo más numeroso es el de los placentarios, que son los más modernos y al que nosotros pertenecemos.

El sentido más desarrollado en casi todos los mamíferos es el olfato, que también sirve para intercambiar señales químicas con otros individuos de la misma especie. La única excepción son los primates, el orden del que formamos parte, en los que el sentido más desarrollado es la vista.

Largos y atentos cuidados parentales (a la izquierda) son una de las características más importantes de los mamíferos, los únicos animales capaces de producir para sus crías un alimento especial: la leche.

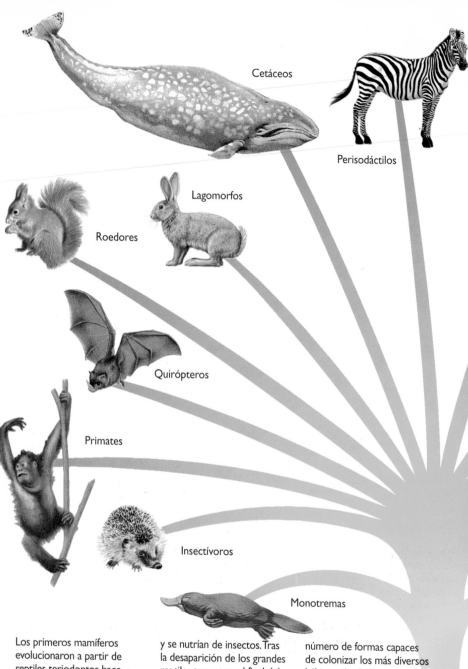

Cetáceos

Perisodáctilos

Lagomorfos

Roedores

Quirópteros

Primates

Insectívoros

Monotremas

Los primeros mamíferos evolucionaron a partir de reptiles teriodontos hace unos 200 millones de años. Las primeras formas eran pequeñas y se nutrían de insectos. Tras la desaparición de los grandes reptiles terrestres al final del Cretácico, los mamíferos se diversificaron en un gran número de formas capaces de colonizar los más diversos hábitats: desde las selvas tropicales a los océanos, de los desiertos a los círculos polares.

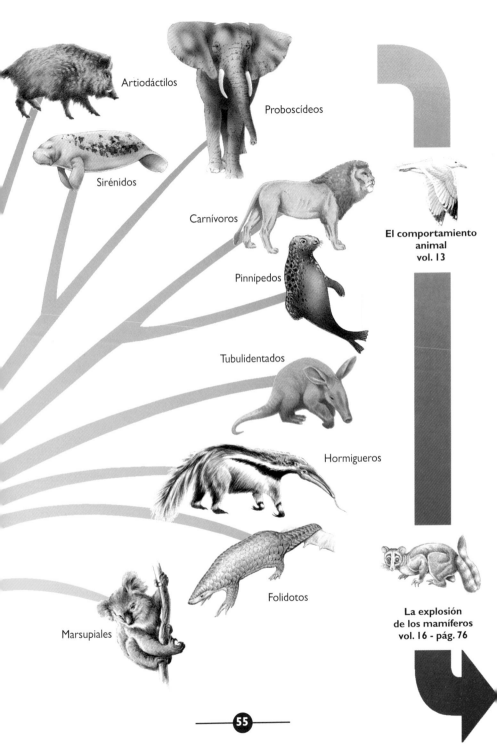

Artiodáctilos

Proboscídeos

Sirénidos

Carnívoros

**El comportamiento
animal
vol. 13**

Pinnípedos

Tubulidentados

Hormigueros

Folidotos

**La explosión
de los mamíferos
vol. 16 - pág. 76**

Marsupiales

LOS MONOTREMAS Y LOS MARSUPIALES

La deriva de los continentes
vol. 7 - pág. 32

Los monotremas y los marsupiales pertenecen a especies que viven casi exclusivamente en las regiones australianas. Los monotremas son originarios de Australia, mientras que los marsupiales quedaron confinados en esta región cuando se separó del resto de las tierras emergidas.

Los monotremas son mamíferos muy primitivos y han conservado algunas características típicas de los reptiles como la reproducción mediante la puesta de huevos con cáscara blanda. Carecen de pezones y los pequeños se nutren chupando directamente la leche segregada por las glándulas mamarias de la madre. Al igual que en los pájaros y los reptiles, el tubo digestivo y los conductos genitales desembocan en una única abertura, la cloaca. Los monotremas incluyen sólo dos especies, los equidnas y el ornitorrinco. Este último es un animal con un aspecto realmente extraño; posee un pico largo y plano como el de un pato, las patas cuentan con grandes garras además de una membrana natatoria y su pelaje es suave. Lleva una vida anfibia y se alimenta de insectos, larvas y pequeños crustáceos.

Los marsupiales se distinguen del resto de los mamíferos por la presencia de una placenta rudimentaria y el desarrollo parcialmente intrauterino. Las hembras paren un embrión inmaduro que termina de formarse dentro de una bolsa cutánea situada en el abdomen de la madre, el marsupio.

La radiación adaptadora
vol. 9 - pág. 76

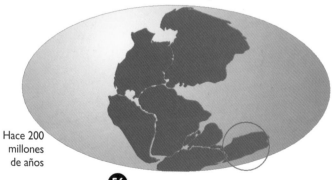

Hace 200 millones de años

El koala es un marsupial australiano perteneciente a la familia de los falangéridos. En esta especie, las crías permanecen en el marsupio hasta los dos meses de edad; después, la madre los lleva sobre su espalda.

Representan el grupo más característico de la región australiana, donde, al no existir competidores, han desarrollado un gran número de formas y adaptaciones que reflejan las de los mamíferos placentarios del resto del planeta. Así pues, existen marsupiales arborícolas como los monos, marsupiales parecidos a los ratones o a los topos y otros incluso carnívoros. Sin embargo, a pesar de que los canguros y los wallaby cumplen un papel ecológico similar al de los ungulados herbívoros de otras regiones, tienen una forma completamente original, que se caracteriza principalmente por sus largas patas traseras y su gran cola.

El hocico tubular y la larga lengua retráctil del equidna son adaptaciones muy útiles para capturar a las hormigas que le sirven de alimento. Este mamífero primitivo usa las garras de sus patas para excavar o remover piedras.

Australia se separó de la Antártida hace unos 50 millones de años y desde entonces no ha tenido contacto con las demás tierras emergidas. Esto ha favorecido la gran irradiación evolutiva de los marsupiales, a quienes los mamíferos placentarios han ido poco a poco suplantando en el resto del mundo.

Actualidad

Desplazándose con sus típicos saltos, los canguros consiguen alcanzar velocidades medias de 40 kilómetros por hora con un esfuerzo energético mínimo, algo fundamental en los climas áridos donde habitan. La gran cola cumple la función de contrapeso en la carrera.

Cuando se mueven lentamente, los canguros usan la cola como un quinto pie para sostener el peso del cuerpo mientras desplazan las extremidades delanteras.

Cuando se desplazan mediante saltos a poca velocidad (15-35 kilómetros por hora) la cola sólo cumple una función de equilibrio.

Alcanzan mayor velocidad (40-50 kilómetros por hora) dando saltos más largos y con mayor frecuencia.

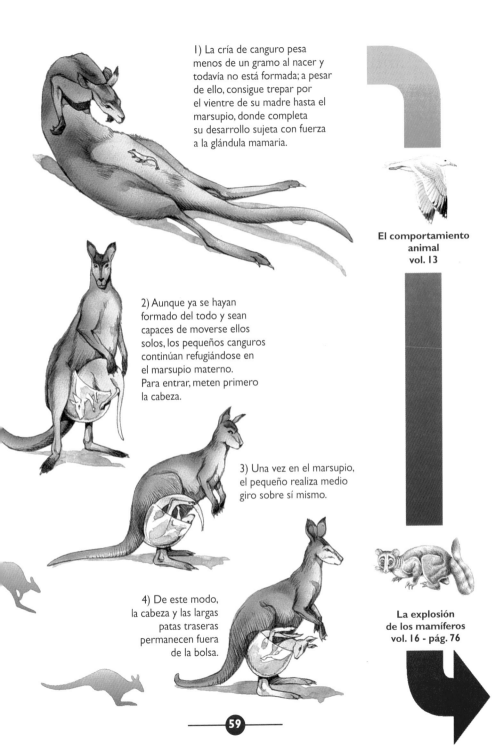

1) La cría de canguro pesa menos de un gramo al nacer y todavía no está formada; a pesar de ello, consigue trepar por el vientre de su madre hasta el marsupio, donde completa su desarrollo sujeta con fuerza a la glándula mamaria.

El comportamiento animal vol. 13

2) Aunque ya se hayan formado del todo y sean capaces de moverse ellos solos, los pequeños canguros continúan refugiándose en el marsupio materno. Para entrar, meten primero la cabeza.

3) Una vez en el marsupio, el pequeño realiza medio giro sobre sí mismo.

4) De este modo, la cabeza y las largas patas traseras permanecen fuera de la bolsa.

La explosión de los mamíferos vol. 16 - pág. 76

LOS MURCIÉLAGOS

Los murciélagos constituyen el orden de los quirópteros (el más rico en especies después del de los roedores) y son los únicos mamíferos capaces de realizar auténticos vuelos. Los murciélagos pasan gran parte de su vida volando y pueden cubrir grandes distancias o realizar migraciones como los pájaros. La técnica del vuelo consiste en una especie de movimiento natatorio de las manos que, gracias a una membrana especial o patagio que las vuelve parecidas a las alas, es capaz de «recoger» y desplazar hacia detrás pequeñas masas de aire. La mayor parte de los quirópteros tienen costumbres nocturnas y durante el día duermen cabeza abajo colgados de las ramas o en las cavidades de los árboles, en cuevas, recovecos rocosos o incluso edificios.

El vuelo nocturno es posible gracias a un sofisticado sistema de ecolocación, una especie de sonar que aprovecha la capacidad de emitir «tandas» de ultrasonidos y percibir su eco de retorno. Los sonidos se emiten a través de las fosas nasales, que suelen estar rodeadas de unos curiosos apéndices encargados de recoger y concentrar los ultrasonidos. Las ondas sonoras que emiten durante el vuelo chocan contra un obstáculo (las paredes de una cueva, otro murciélago, una flor, una presa), se reflejan y vuelven hacia el murciélago, que las capta con las orejas, generalmente de dimensiones desproporcionadas en relación con el cuerpo y extremadamente complejas. El tiempo trascurrido entre la emisión y el regreso de la onda y su «deformación» proporcionan al murciélago datos precisos sobre los objetos incluso en la más total oscuridad.

Los quirópteros se dividen en dos subórdenes: los microquirópteros o, lo que es lo mismo, las especies más pequeñas, y los megaquirópteros. Los primeros están difundidos en todo el mundo y suele tratarse de insectívoros (por ejemplo, los desmodóntidos, más conocidos como vampiros, que se nutren de sangre, y los noctiliónidos, que capturan y comen peces); los segundos se alimentan de fruta o flores y habitan en África, Asia, Australia y en las latitudes tropicales.

**Los mamíferos
pág. 52**

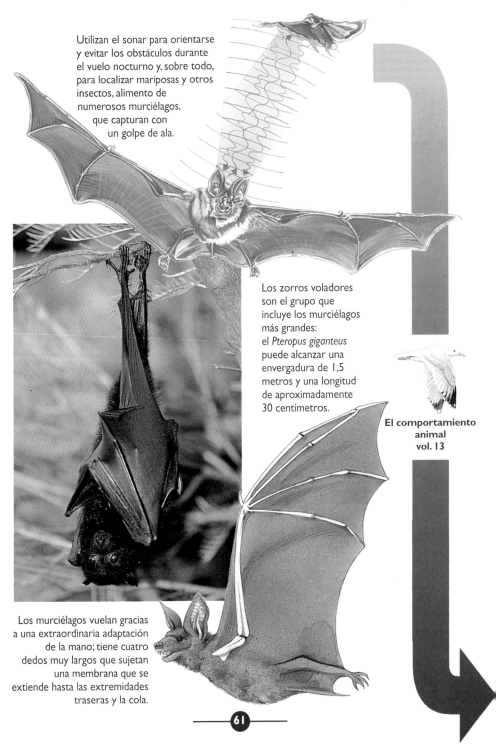

Utilizan el sonar para orientarse y evitar los obstáculos durante el vuelo nocturno y, sobre todo, para localizar mariposas y otros insectos, alimento de numerosos murciélagos, que capturan con un golpe de ala.

Los zorros voladores son el grupo que incluye los murciélagos más grandes: el *Pteropus giganteus* puede alcanzar una envergadura de 1,5 metros y una longitud de aproximadamente 30 centímetros.

El comportamiento animal vol. 13

Los murciélagos vuelan gracias a una extraordinaria adaptación de la mano; tiene cuatro dedos muy largos que sujetan una membrana que se extiende hasta las extremidades traseras y la cola.

LOS PRIMATES

El orden de los primates incluye a los lémures, a los simios y también al ser humano. La evolución de los primates comenzó en una época relativamente cercana, hace unos 60 millones de años, mucho después de la aparición de los primeros mamíferos, aunque los resultados han sido extraordinarios, pues se trata del orden de mamíferos al que pertenecemos. Sin embargo, los primates más antiguos no tenían demasiado en común con el ser humano. Eran vegetarianos, vivían sobre los árboles y eran más parecidos al tupaya actual (un prosimio de África similar a las ardillas), o al *Microcebus murinos* (el más pequeño de los primates, un lémur de Madagascar con aspecto de ratón). La mayor parte de los primates sigue llevando una vida fundamentalmente arborícola, si bien el camino hacia los simios más evolucionados y los seres humanos es el resultado de una serie de adaptaciones a una vida cada vez más ligada a la tierra. Los primates actuales se dividen en dos grandes grupos, el de los prosimios y el de los simios, que comprenden especies muy diferentes entre sí por tamaño, hábitos o desarrollo cerebral, pero que comparten por lo menos dos «conquistas» evolutivas. Los ojos, capaces de percibir los colores, se encuentran en posición frontal, como en el ser humano; permiten la visión en relieve y una mayor valoración de las distancias, lo que ha llevado al desarrollo de las zonas de cerebro correspondientes. La mano, que suele tener el

Los mamíferos
pág. 52

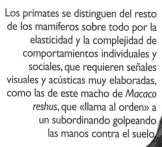

Los primates se distinguen del resto de los mamíferos sobre todo por la elasticidad y la complejidad de comportamientos individuales y sociales, que requieren señales visuales y acústicas muy elaboradas, como las de este macho de *Macaco reshus*, que «llama al orden» a un subordinando golpeando las manos contra el suelo.

Los lémures presentan una mezcla de características primitivas y altamente especializadas, por lo que resultan (como todos los prosimios) muy interesantes desde el punto de vista evolutivo.

pulgar oponible, goza de gran movilidad y sirve para realizar simples operaciones o para manipular objetos como piedras o pequeñas ramas, lo que también ha favorecido el desarrollo del cerebro. El suborden de los prosimios corresponde a los primates más primitivos: los lémures, que habitan casi exclusivamente en Madagascar, y los lorísidos, que también viven en algunas zonas del Sudeste asiático, en Ceilán y en el África tropical. Los antropoides, es decir, los simios en sí, se dividen en cébidos, que viven en el Nuevo Mundo; en cercopitecos; y en homínidos, este último grupo habitante del Viejo Mundo.

Los simios antropomorfos tienen los brazos más largos que las piernas. Caminan usando las cuatro patas y a este movimiento se le llama cuadrumano. Mientras que el pie se apoya en la planta, las manos se usan apoyando los nudillos o las dos primeras falanges de los dedos.

Las alianzas y los cuidados de los progenitores, que incluso se hacen cargo de las crías de los demás, son fundamentales en la vida de los simios antropomorfos. Los chimpancés alcanzan niveles más complejos y elevados.

Es probable que el «beso» de saludo entre dos chimpancés sea la ritualización del gesto con el que la madre alimenta al pequeño directamente con la boca. El contacto físico, como en el caso de esta joven hembra que se refugia bajo la mano de un macho, tiene un efecto reconfortante.

El orangután, que vive en los bosques de Sumatra y de Borneo, es el único representante asiático de los simios antropomorfos y también el único completamente arborícola.

Al igual que los macacos, los cercopitecos pertenecen al grupo de los llamados simios del Viejo Mundo, que se caracterizan porque los orificios nasales apuntan hacia abajo.

Los gorilas son los parientes más cercanos del ser humano después de los chimpancés. A pesar de su aspecto tan fiero, son animales pacíficos y vegetarianos.

El género *Macaca*, al que pertenece este ejemplar de macaco reso, se caracteriza por una gran variedad de especies. Se conocen 18 muy distintas entre sí y subdivididas en 4 grupos.

El comportamiento animal vol. 13

Los antepasados del ser humano vol. 16 - pág. 86

La evolución del ser humano vol. 17

LOS LAGOMORFOS

Durante mucho tiempo, las liebres, los conejos y los ocotónidos fueron clasificados como roedores a causa de los agudos incisivos en continuo crecimiento con los que mordisquean golosamente la corteza de los árboles. Sin embargo, los estudios paleontológicos demostraron que los roedores y los lagomorfos descienden de dos líneas evolutivas distintas. Una de las diferencias reside, precisamente, en los incisivos: los lagomorfos poseen un par en el arco dental superior, mientras que los roedores sólo tienen uno. Los segundos incisivos se encuentran detrás de los primeros y son mucho más pequeños. A excepción de los pequeños ocotónidos (también llamados liebres silbadoras), los lagomorfos tienen las patas traseras mucho más largas que las delanteras, lo que les permite desplazarse mediante saltos. Otra característica es la fisura en forma de «Y» que rodea los orificios nasales y desciende hasta el labio superior. En la entrada de cada orificio, bajo una arruga de la piel, se encuentra la papila sensitiva; por eso las liebres y

Los mamíferos
pág. 52

Los lagomorfos son famosos por su fecundidad. Normalmente, las hembras pueden reproducirse en cualquier momento del año, pero las crías nacen sin pelo, ciegas y completamente desprotegidas, así que necesitan largos períodos de desarrollo en el nido antes de poder valerse por sí mismas.

Cuando caminan o saltan, las liebres y los conejos aprovechan toda la superficie de sus largos pies, apoyando primero las patas delanteras de una en una y después las traseras juntas.

En cambio, cuando corren presionan únicamente las almohadillas situadas en los extremos de los pies. Los conejos suelen moverse en zig zag, mientras que el recorrido de las liebres es en línea recta.

los conejos tienen esa típica forma de mover el hocico, para «captar» mejor el ambiente circundante.

Los conejos y las liebres presentan notables diferencias. Las liebres, que no son domesticables, son mayores los conejos y, a diferencia de estos, son animales solitarios. Además, paren crías cubiertas de pelo y capaces de caminar muy pronto.

Todos los lagomorfos se alimentan de hojas, tallos, cortezas o bayas. Los alimentos pasan dos veces por el tubo digestivo: tras una primera digestión, expulsan los excrementos, ricos en vitamina B, y se los vuelven a comer sin ni siquiera masticarlos.

El comportamiento animal vol. 13

A

B

C

Los pabellones auriculares sirven para regular la temperatura corpórea: las dimensiones cambian en función de la latitud y de las características

climáticas. Los más anchos y largos, idóneos para dispersar el calor, son los de *Lepus alleni* (A), que vive en Arizona. Los de *Lepus californicus* (B), presente en

California y Oregón, son más pequeños. La liebre variable u holoártica (C), que vive en la franja septentrional de la región holoártica, los tiene aún más pequeños.

LOS ROEDORES

De las 4 600 especies que existen de mamíferos, 1 687 pertenecen al orden de los roedores. Es el mayor orden de los mamíferos y se encuentra en todos los continentes, desde el nivel del mar hasta los casi 6 000 metros del Himalaya, de los bosques pluviales a los pantanos y los ríos.

La característica principal de este grupo de mamíferos es la presencia de dos pares de incisivos (uno superior y otro inferior) que no dejan de crecer y que utilizan para roer las semillas, las raíces y las plantas de las que se nutren. La mayoría de las especies es de pequeñas dimensiones –no suelen superar los 30 centímetros– pero algunas, como el castor y el capibara, pueden alcanzar un metro de largo incluyendo la cola.

Muchos roedores entran en letargo en el invierno. En este estado, el metabolismo desciende hasta valores mínimos y los animales apenas necesitan alimento o no se alimentan en absoluto, pues utilizan la grasa almacenada antes del letargo. Otros recogen semillas en unas cavidades bucales especiales y las entierran. Los roedores se dividen en cuatro subórdenes: los esciuromorfos, los miomorfos, los histricomorfos y los cavidomorfos. Los esciuromorfos deben su nombre a las largas patas traseras y su movimiento a saltos; entre ellos están las ardillas, marmotas, castores y ratas canguro. Entre los miomorfos encontramos a los múridos, que incluyen los ratones y las ratas de nuestras ciudades, a los lemming, famosos por las migraciones en masa que realizan cuando sus poblaciones superan un cierto número. El instinto migratorio es tan fuerte que ni siquiera se paran cuando llegan al

Los mamíferos pág. 52

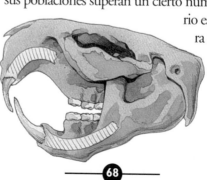

Cráneo de roedor en el que se aprecian los incisivos, en forma de escalpelo y sin raíces. Puesto que carecen de caninos y a veces también de premolares, el espacio que separa los incisivos de los molares es muy amplio.

La ardilla se alimenta de flores, frutas, brotes, semillas, cortezas y linfa. La hembra construye un nido en los agujeros de los árboles o aprovecha alguno de los que abandonan los pájaros.

Los ratones poseen una capacidad de adaptación extraordinaria, y por eso pueden vivir en las condiciones y climas más diversos, aprovechando los recursos alimenticios y la basura que produce nuestra especie.

El castor presenta ciertas adaptaciones a la vida anfibia, como la cola con forma de espátula y la membrana interdigital. Es un hábil ingeniero y puede construir diques y piscinas cerca de la madriguera, que fabrica con barro seco.

mar, donde acaban muriendo ahogados. Los histricomorfos comprenden erizos y puercoespines, característicos por sus largas púas. Por último, los cavidomorfos incluyen las nutrias, que transcurren gran parte de su vida en el agua, las cobayas de laboratorio, y las chinchillas, a las que se cría por su suave pelaje.

El comportamiento animal vol. 13

Para escapar de los depredadores, reproducirse o permanecer durante el letargo, las marmotas excavan madrigueras subterráneas cuya profundidad y complejidad varían de acuerdo con el tipo de uso. A la derecha, madriguera de emergencia. Abajo, a la izquierda, la madriguera estival, la primera guarida de las crías; abajo, a la derecha, la madriguera invernal para el letargo y la reproducción.

LOS DELFINES

Al igual que las ballenas, junto con las que forman el orden de los cetáceos, los delfines son mamíferos que han «abandonado» la superficie terrestre para vivir en el mar. Su adaptación a la vida acuática ha sido tan perfecta que durante mucho tiempo se les llegó a considerar peces. Por mucho que las diversas especies se diferencien entre sí, todos los delfines tienen una estructura similar: cuerpo hidrodinámico carente de pelo, extremidades anteriores modificadas en forma de aletas pectorales y cola horizontal en lugar de extremidades inferiores. Como todos los mamíferos, los delfines también respiran aire, sólo que lo hacen a través de un único orificio nasal situado en el dorso.

En algunas especies el hocico es alargado y forma una especie de pico, detrás del que se eleva una frente redondeada que forma el llamado «melón». Esta estructura está relacionada con el fenómeno de la ecolocación, es decir, con la exploración del ambiente circundante mediante la emisión de ondas sonoras y la recepción del eco que producen: un mecanismo similar al de

Los mamíferos pág. 52

El delfín mula, que alcanza una longitud de unos 3 metros, es uno de los delfines más conocidos porque es el más común en los delfinarios. Presente sobre todo en el Mediterráneo, es fácil de reconocer por la coloración grisácea y por el hocico en forma de cuello de botella.

La mayor parte de los delfines son depredadores de peces, a los que agarran y devoran con sus agudos dientes. Mediante las ondas sonoras, localizan a los bancos de peces y algunos científicos afirman que hasta los aturden.

los murciélagos. Al parecer, los delfines son capaces de intercambiarse información y expresar su estado de ánimo a través de secuencias de sonidos.

Existen 31 especies de delfines, de distintas formas y tamaños, que han colonizado todos los océanos y mares del mundo. La orca es la especie más grande: la aleta dorsal de los machos puede alcanzar 1,8 metros de altura. Por su parte, el delfín mula parece ser la especie más inteligente: la relación entre el volumen de su cerebro y su superficie corporal, una medida que los científicos emplean para calcular el índice de desarrollo del cerebro, equivale a 5,6 y se coloca en segunda posición, detrás del ser humano.

El comportamiento animal
vol. 13

Con sus más de 9 metros de largo, la orca es el depredador más grande de todos los océanos. A pesar de su aspecto elegante y afable, es un cazador formidable que se aventura hasta las orillas para capturar crías de otarios y de pingüinos.

Regreso al mar
vol. 16 - pág. 78

LAS BALLENAS

A diferencia de los delfines, con los que forman el orden de los cetáceos, los misticetos (ballenas) carecen de dientes. En su lugar, las ballenas y ballenatos poseen un complejo aparato filtrador compuesto por barbas de ballena, que son láminas córneas flexibles en continuo crecimiento que descienden de la mandíbula superior. Su margen interno presenta innumerables flecos que cierran el espacio entre una barba y otra, formando una auténtica cribadora capaz de retener pequeños peces y microscópicos organismos del plancton, que supone su fuente de alimento. La forma y las dimensiones de las barbas varía en cada especie, de acuerdo con el modo en que se nutren. El aparato de barbas más desarrollado corresponde a la familia de los balénidos; estas especies filtran y nadan continuamente con la boca abierta acumulando el plancton antes de ingerirlo. Los cachalotes, en cambio, suelen ser «tragones» que prefieren ingerir grandes «sorbos» de agua que expelen después por los lados de la boca reteniendo dentro el alimento. Por otra parte, esta familia, que comprende la yubarta y diferentes ballenas, presenta un sistema de pliegues en la piel que, al distenderse, aumentan la capacidad de la garganta.

Los mamíferos pág. 52

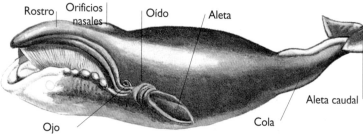

Rostro · Orificios nasales · Oído · Aleta · Ojo · Cola · Aleta caudal

La ballena franca presenta claramente las adaptaciones para la vida acuática de los cetáceos: la forma del cuerpo es alargada e hidrodinámica, el pelo ha desaparecido, los miembros traseros se han convertido en aletas, el cráneo se ha modificado y presenta los orificios nasales en posición dorsal.

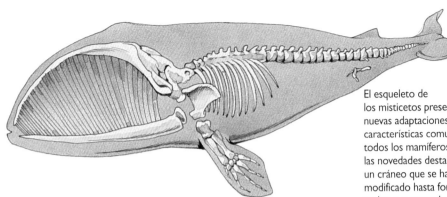

El esqueleto de los misticetos presenta nuevas adaptaciones y características comunes a todos los mamíferos. Entre las novedades destaca un cráneo que se ha modificado hasta formar un largo rostro u hocico, dotado de láminas córneas (barbas de ballena) que penden del paladar.

A pesar de su gran capacidad de apnea, las ballenas necesitan volver a la superficie para respirar. El famoso chorro se produce cuando el aire húmedo y caliente que expulsan a través de dos orificios dorsales entra en contacto con el aire frío y se condensa.

Algunas especies de misticetos, especialmente la yubarta, son famosas por las formidables migraciones que realizan. Los motivos principales de estos desplazamientos están relacionados con la disponibilidad de alimento y la reproducción. De hecho, en las frías aguas de ciertos mares pueden encontrar inmensas concentraciones de plancton y krill, su alimento, pero para reproducirse y cuidar de las crías necesitan aguas templadas y cálidas.

Todos los misticetos son de gran tamaño. La especie más grande (que también es el animal más grande del planeta) es la ballena azul, que puede llegar a medir 30 metros de largo.

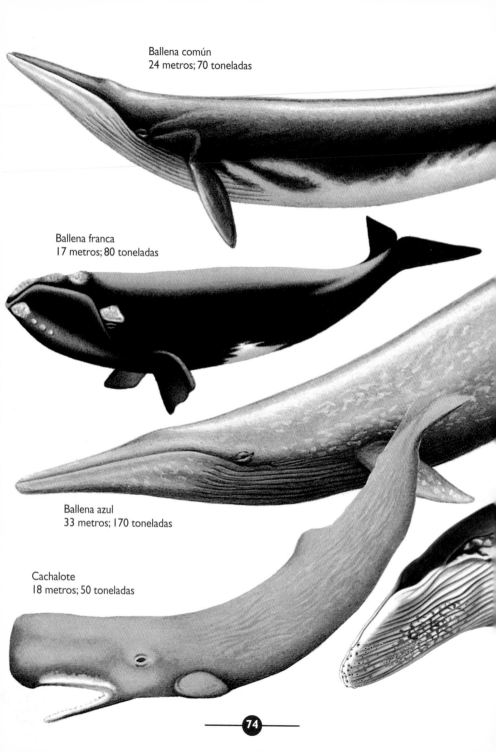

Ballena común
24 metros; 70 toneladas

Ballena franca
17 metros; 80 toneladas

Ballena azul
33 metros; 170 toneladas

Cachalote
18 metros; 50 toneladas

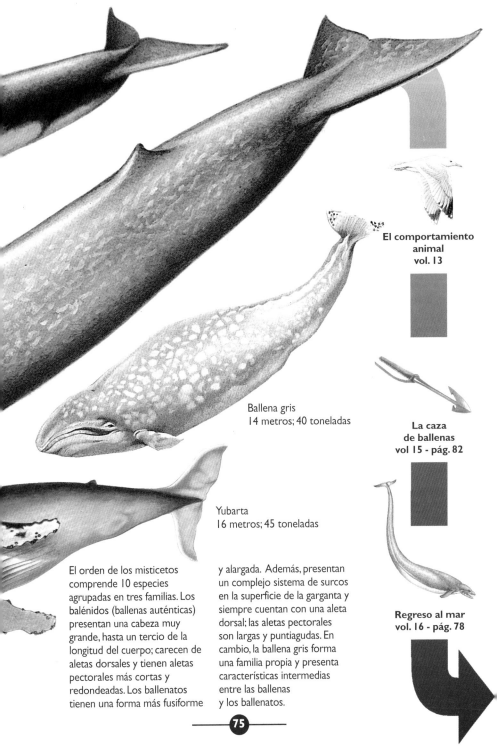

Ballena gris
14 metros; 40 toneladas

Yubarta
16 metros; 45 toneladas

El comportamiento animal
vol. 13

La caza de ballenas
vol 15 - pág. 82

Regreso al mar
vol. 16 - pág. 78

El orden de los misticetos comprende 10 especies agrupadas en tres familias. Los balénidos (ballenas auténticas) presentan una cabeza muy grande, hasta un tercio de la longitud del cuerpo; carecen de aletas dorsales y tienen aletas pectorales más cortas y redondeadas. Los ballenatos tienen una forma más fusiforme y alargada. Además, presentan un complejo sistema de surcos en la superficie de la garganta y siempre cuentan con una aleta dorsal; las aletas pectorales son largas y puntiagudas. En cambio, la ballena gris forma una familia propia y presenta características intermedias entre las ballenas y los ballenatos.

LOS CARNÍVOROS

Carnívoro quiere decir «comedor de carne» aunque no todos los animales clasificados como carnívoros se alimentan exclusivamente de carne y algunos ni siquiera lo hacen. El panda gigante, por ejemplo, pertenece al orden de los carnívoros pero prácticamente sólo se alimenta de brotes de bambú. Otros carnívoros «anómalos» son los úrsidos y el mapache común, que en realidad son omnívoros, es decir, que comen tanto animales como vegetales, igual que el ser humano. Hasta los lobos, chacales y zorros, aun siguiendo una dieta principalmente carnívora pueden, en caso de necesidad, alimentarse de vegetales, aunque sólo por un tiempo limitado. El tejón, por el contrario, prefiere la dieta vegetariana pero también puede alimentarse de pequeños animales y huevos.

Naturalmente, existen motivos para que se les denomine así y, además de los animales citados, a este orden pertenecen los grandes felinos, depredadores por excelencia, y otros no tan grandes, como el gato montés; y también las hienas, los mustélidos –armiños, garduñas, comadrejas, martas, tejones, nutrias– y los vivérridos. Uno de los rasgos más distintivos de este grupo es la presencia de diferentes clases de dientes especializados, entre los que figuran los llamados dientes ferinos utilizados para cortar la carne. La estructura física de la mayor parte de las especies, independientemente de sus dimensiones, permite realizar los rápidos y potentes movimientos necesarios para la caza.

Los mamíferos
pág. 52

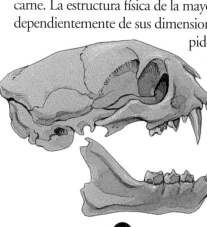

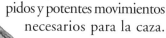

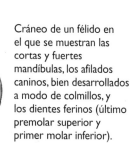

Cráneo de un félido en el que se muestran las cortas y fuertes mandíbulas, los afilados caninos, bien desarrollados a modo de colmillos, y los dientes ferinos (último premolar superior y primer molar inferior).

Normalmente, los miembros son alargados e idóneos para correr, mientras que los dedos están provistos de garras. Vista, oído y olfato están muy desarrollados, así como el sentido del equilibrio, este último sobre todo en los felinos.

Los carnívoros presentan complejos sistemas de caza. La caza en grupo se ha desarrollado en las especies caracterizadas por una vida social evolucionada, como en el caso de los lobos, los leones y las hienas. La ventaja de esta modalidad reside en la posibilidad de capturar presas mucho más grandes que cada uno de los depredadores. El puma y otras especies solitarias practican, en cambio, la técnica de la emboscada: tras acercarse lentamente a la víctima, la acechan y esperan el momento idóneo para lanzar el ataque.

Entre los leones suelen ser las hembras quienes se dedican a la caza, que practican en grupo y preferiblemente de noche. Sólo se comen las partes mejores de las presas y el resto queda a merced de otros animales.

En los félidos, las garras (a la izquierda) suelen estar retraídas gracias a un ligamento especial. En esta posición, el dedo se encuentra ligeramente plegado. Cuando el animal se excita, contrae el músculo flexor y los tendones mueven hacia atrás la última falange, exhibiendo así la garra.

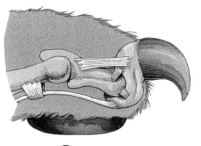

Los lobos (a la derecha) viven en manadas rígidamente estructuradas cuya vida se apoya en el comportamiento de la pareja formada por el macho y la hembra dominantes. Los lobos solitarios suelen ser individuos jóvenes en busca de territorio o de hembras.

El oso blanco o polar (abajo) vive en la región Polar Ártica, hasta los límites meridionales del *pack*. Los pies y el cuerpo están completamente cubiertos de un pelaje denso y blanquísimo que constituye una eficaz protección contra el frío.

Las nutrias (arriba) son mustélidos adaptados a la vida acuática. La nutria común vive cerca de los ríos, en los que caza los peces que tanto le gustan. Una especie marina, actualmente rara, habita en las costas y las islas del Pacífico norte.

Las hienas (abajo) viven en grupos sociales menos estructurados que los de los lobos; carecen de un verdadero jefe y se mantienen unidas sobre todo por las necesidades de la caza. Sin embargo, los miembros de la manada se conocen y los extraños desencadenan vivas reacciones de agresividad.

La depredación
vol. 14 - pág. 20

El comportamiento
animal
vol. 13

Carnívoros
y herbívoros
vol. 16 - pág. 80

LOS ELEFANTES

De las 300 especies de mamíferos proboscídeos que aparecieron sobre la Tierra, hoy sólo sobreviven dos: el elefante africano y el elefante asiático. Ambos forman parte de la familia de los elefántidos, la misma a la que pertenece el mamut que se extinguió en épocas prehistóricas. Las dos especies presentan algunas diferencias anatómicas fruto de una separación que dura desde hace millones de años. El elefante africano es el animal terrestre más grande y los ejemplares que viven en la sabana pueden alcanzar 4 metros de altura. En cambio, el elefante asiático, que vive en los bosques tropicales, no supera los tres metros.

Más allá de estas sorprendentes dimensiones, de las grandes orejas ondeantes y de las enormes patas, lo que más impresiona del elefante es su extraordinaria trompa. Este apéndice, derivado de la fusión de la nariz y el labio superior, les permite olfatear, tocar, arrancar hierbas y hojas y llevárselas a la boca; beber, quitarse el lodo, darse baños de polvo y acariciar a las crías.

Los elefantes (al igual que ocurre con las ballenas) pueden comu-

Los mamíferos pág. 52

El elefante asiático tiene una estatura menor que la del africano y las orejas más pequeñas y de forma cuadrangular. La frente es cóncava, solapada por dos jorobas o protuberancias que lo hacen parecerse a las representaciones prehistóricas de los mamut. Las hembras carecen de colmillos.

El elefante africano es fácil de reconocer porque sus dimensiones son mayores y las orejas redondeadas le cubren completamente la cruz cuando están en reposo. La frente es convexa y sobresaliente, con dos senos laterales hundidos. Tanto los machos como las hembras poseen colmillos.

nicarse a kilómetros de distancia gracias a la capacidad para emitir y percibir sonidos a muy baja frecuencia. Son vegetarianos y aunque prefieren las gramíneas, también pueden alimentarse de hierbas y hojas, ingiriendo de 150 a 280 kilos de vegetales al día. Para poder asimilar la celulosa de los vegetales, los elefantes albergan en el intestino delgado y en el ciego bacterias anaeróbicas que la degradan. Las crías nacen desprovistas de estas bacterias necesarias para vivir, así que para obtenerlas se comen los excrementos maternos.

La piel de los elefantes es espesa pero no lo suficiente como para protegerlos de las picaduras de insectos y garrapatas. Los «baños» de polvo y fango son indispensables para mantener alejados a los parásitos.

Los elefantes viven en grupos sociales muy bien estructurados y que se mantienen unidos gracias a los fuertes vínculos afectivos. Esquemáticamente, la organización de la manada es como sigue: la matriarca y el último elefante nacido son rodeados por los más pequeños y las hembras emparentadas. Los machos solitarios y las manadas de consanguíneos se sitúan al margen del grupo. La prole, pequeños y adolescentes de ambos sexos, constituyen el resto del grupo. Cuando alcanzan la pubertad entre los 11 y los 12 años, los machos abandonan la manada a la que pertenecen.

Las hembras son fértiles durante todo el año y tienen ciclos de unos dos meses. Tras 22 meses de gestación, la elefanta pare de pie a un pequeño de 100-120 kilos. Las crías comienzan a caminar nada más nacer y son amamantadas hasta los 5 meses.

Los pequeños, con la ayuda y la protección de los adultos, aprenden todo lo necesario para vivir. Todos los miembros de la «familia» los olfatean e inspeccionan habitualmente. Normalmente, para cuidar al pequeño la madre recibe la ayuda de una hembra joven, que así se prepara para la maternidad.

A la cabeza del grupo se encuentra la matriarca, es decir, la hembra más anciana y, por tanto, más experta, que generalmente se ha vuelto estéril. Los adultos son todos hembras, algunas emparentadas, muy encariñadas entre sí.

Los machos entran en celo de acuerdo con un «calendario» propio y se lanzan a la búsqueda de una hembra que también esté en celo. Tras aparearse, los machos viven aislados o en grupos tranquilos, al margen de las manadas de hembras.

El comportamiento animal
vol. 13

Las selvas tropicales
vol. 14 - pág. 58

La sabana
vol. 14 - pág. 66

Cuando el alimento y el agua son abundantes, como sucede en la estación húmeda, es posible observar aglomeraciones de multitud de manadas pertenecientes a una misma población.

Por el contrario, durante la estación seca, cuando el agua y el alimento escasean, las manadas se separan en pequeñas unidades formadas por una o dos hembras a quienes, como mucho, acompañan sus crías.

LOS PINNÍPEDOS

No es fácil encontrar el parecido entre una foca y un jaguar o entre una morsa y un lobo. Y, sin embargo, aunque tienen un estilo de vida diferente porque se han especializado en el hábitat marino, los pinnípedos están estrechamente emparentados con los carnívoros. El ambiente acuático requiere adaptaciones muy particulares como, precisamente, la forma hidrodinámica de los pinnípedos, con extremidades delanteras y traseras convertidas en aletas para nadar.

Si miramos la boca de un pinnípedo nos daremos cuenta de que su dentadura es muy similar a la de los delfines, con los dientes pequeños y cónicos, especializados en la captura de peces. La única excepción la representan las morsas, que poseen dos caninos superiores, carentes de raíces, muy desarrollados y parecidos a los colmillos; las morsas los usan para extraer moluscos y crustáceos del fondo del mar y para

Los mamíferos pág. 52

Gracias a la leche materna, muy rica en grasa (42 %) y proteínas, las focas pequeñas adquieren rápidamente la capa aislante necesaria para resistir el frío del ártico.

Las morsas son animales gregarios y se turnan para montar guardia en las rocas o sobre los montículos helados. En caso de peligro, el centinela huye lanzándose al agua y es seguido por el resto de los miembros del grupo.

rivalizar por la posesión de las hembras. A diferencia de los delfines, que pasan toda la vida en el mar, los pinnípedos han conservado cierta relación con el hábitat terrestre. Los pinnípedos regresan a las playas, los escollos o la banquisa para descansar al sol y, sobre todo, para reproducirse y criar a sus cachorros.

Además de a las morsas, el orden de los pinnípedos incluye a las focas y a los leones marinos. Si bien tienen un aspecto muy similar, estas dos familias presentan algunas diferencias. A diferencia de las focas, los otarios están provistos de pabellones auditivos y son capaces de mover hacia delante los miembros posteriores; esto les permite moverse con agilidad en tierra firme y permanecer a cuatro patas. Al no tener esta cualidad, las focas están obligadas a moverse a saltos o a rodar y arrastrarse.

El comportamiento animal
vol. 13

El ecosistema marino
vol. 15 - pág. 28

LOS PERISODÁCTILOS

El término «perisodáctilo» deriva del griego y significa «dedos impares». Y es que la característica común de este grupo de ungulados es, precisamente, la presencia de un número impar de dedos protegidos por una pezuña córnea (o casco). Los perisodáctilos más conocidos son los caballos, asnos y cebras, que forman la familia de los équidos, y los menos conocidos son los tapires. La historia de los équidos comienza en los bosques de Europa y América del Norte. Aquí, alimentándose de hierbas, vivía el *Eohippus*, un pequeño antepasado de caballos y cebras, que no superaba los 30 centímetros de altura.

A través de una serie de importantes transformaciones, entre las que figuran el alargamiento del hocico y del cuello, la reducción de número de dedos (en los caballos sólo es funcional el tercer dedo) y la especialización de los molares en órganos idóneos para triturar, los caballos se convirtieron en los mamíferos que todos conocemos, dotados de largas patas, capaces de correr a gran velocidad y de alimentarse de hierbas, incluso coriáceas. Todas las

Los mamíferos
pág. 52

Los caballos, como otros muchos mamíferos, han sido domesticados y seleccionados para satisfacer las necesidades del ser humano. Ya a partir del 3 000 a. C. se documentó en Asia Menor el uso de caballos como transporte.

A lo largo de la evolución, los perisodáctilos han reducido progresivamente el número de dedos, de cinco al único dedo funcional (el tercero) de los équidos, como adaptación para la carrera.

razas de caballos domésticos derivan del *Equus przewalskii*, o caballo salvaje, casi extinguido en la naturaleza. Las cebras, que viven en manadas en las regiones del sur del Sáhara, son por lo general más pequeñas que los caballos y tienen un característico manto a rayas blancas y negras cuyo diseño varía en función de la especie. Entre los perisodáctilos también se encuentra el rinoceronte, dos especies en África y tres en Asia. Todos los rinocerontes están en peligro de extinción a causa de la caza salvaje de la que han sido objeto por el poder taumatúrgico atribuido a sus cuernos. Los rinocerontes negros y blancos son típicos de las sabanas africanas, donde el primero se nutre de ramas leñosas y el segundo de hierba. Las especies asiáticas, en cambio, están ligadas a los ambientes húmedos típicos de los bosques pluviales o de las llanuras de aluvión. El rinoceronte indio y el de Java sólo tienen un cuerno.

El comportamiento animal vol. 13

El rinoceronte negro (en la imagen) se distingue del blanco no sólo por el color, sino por la forma de la boca. El primero posee un labio puntiagudo y prensil, útil para aferrar ramas y hojas, mientras que el del segundo es largo y recto, típico de una nutrición herbívora.

Carnívoros y herbívoros vol. 16 - pág. 80

LOS ARTIODÁCTILOS

Un número de dedos par, generalmente encerrados en una pezuña córnea, es el pequeño detalle que revela la estrecha relación que une a los artiodáctilos, un gran grupo de mamíferos muy diferentes entre sí por formas y tamaños.

Todos, a excepción de los suiformes, presentan una dentadura reducida especializada en la alimentación herbívora y que acompaña a otra adaptación para este tipo de dieta: el mecanismo de la rumia, para la que se necesita un estómago subdividido en tres o cuatro cavidades. Se trata de una especie de doble masticación del alimento que, tras ser masticado una vez, se traga y llega hasta el omaso, una de las cavidades del estómago; después es regurgitado hasta la boca en pequeñas cantidades o bolos, donde vuelve a ser masticado y se traga de nuevo. La acción de las bacterias anaeróbicas presentes en el estómago de los rumiantes resulta fundamental para digerir la abundante

Los mamíferos pág. 52

El dromedario posee una joroba que contiene reservas de grasa, no de agua como a veces se cree. Es un animal muy resistente y perfectamente adaptado a la dura vida del desierto; puede sobrevivir varios días sin beber gracias al agua almacenada en sacos especiales, unas extensiones del estómago.

Los artiodáctilos caminan apoyando el tercer y cuarto dedo de cada pezuña, que están recubiertas de un casco córneo. Los miembros suelen ser alargados y pueden presentar algunos huesos fundidos entre sí (hueso de la caña).

celulosa de los tejidos vegetales, una sustancia normalmente indigesta para los animales.

Más allá de estas características más o menos comunes, el orden de los artiodáctilos comprende especies muy diferentes entre sí como los cerdos y los pecaríes, típicos suiformes (de este grupo también forman parte los hipopótamos), y las jirafas, ciervos, bisontes y antílopes, por citar alguno de ellos. Las familias a las que pertenecen (giráfidos, cérvidos, bóvidos) también se caracterizan por la presencia de cuernos en muchas de las especies. Los cuernos pueden variar de forma y dimensiones, ser fijos o temporales, estar en ambos sexos o sólo en los machos. El omaso de los camellos y de los dromedarios está provisto de numerosos divertículos, llamados cámaras acuíferas, en las que pueden acumular grandes provisiones de agua, indispensables para poder sobrevivir en los ambientes tan áridos en los que viven.

Los ciervos (página anterior) están organizados en pequeños grupos matriarcales de los que los machos adultos quedan excluidos. Sin embargo, en otoño, durante la época de celo, estos últimos se reúnen en «harenes» formados por un número de hasta veinte hembras.

Hasta el siglo pasado, el bisonte vivía en las praderas de Norteamérica y formaba numerosas manadas. Las feroces batidas realizadas por los cazadores de pieles han llevado a este animal al borde de la extinción.

Los espectaculares cuernos de los machos de íbice pueden alcanzar la sorprendente longitud de un metro. Al igual que los ciervos, los machos emplean los cuernos para combatir entre sí durante las épocas de celo.

El comportamiento
animal
vol. 13

Gracias a su
excepcional
estatura (unos 6
metros), las jirafas
pueden alimentarse
de hojas de acacia,
inaccesibles para
otras especies. La
única desventaja es
que para beber
tienen que realizar
verdaderas
acrobacias hasta
alcanzar el agua.

Los hipopótamos
pasan la mayor parte
del día en el agua y
son unos estupendos
nadadores. Entre las
adaptaciones a la vida
anfibia destaca su
cabeza plana, con los
ojos y las fosas
nasales situados en la
parte superior.

Carnívoros y
herbívoros
vol. 16 - pág. 80

ÍNDICE ANALÍTICO